Sprache
und
Literatur 36

HERBERT LEHNERT

Struktur und Sprachmagie

Zur Methode
der Lyrik-Interpretation

W. KOHLHAMMER VERLAG
STUTTGART BERLIN KÖLN MAINZ

Alle Rechte vorbehalten. © 1966 W. Kohlhammer GmbH, Stuttgart Berlin
Köln Mainz. Druck: Ernst Koelblin KG, Baden-Baden 1966. Printed in
Germany, Nr. 87045

INHALTSÜBERSICHT

Die einzelnen Kapitel interpretieren Gedichte im Hinblick auf das Thema des Buches. Sie stellen keine Abhandlungen dar, denen definitive Titel gegeben werden könnten. Die folgende Inhaltsübersicht soll nur Anhaltspunkte für den Leser geben.

221306

EINFÜHRUNG

Wer sprachliche Kunstwerke interpretieren will, muß seine Bewunderung, Abneigung oder Gleichgültigkeit in kommunizierbare Begriffe verwandeln. Da Abneigung und Gleichgültigkeit mehr an der Auswahl des Interpretierten beteiligt sind, wird es sich meistens um die Bewunderung handeln, die kritisch gezähmt werden muß. Die Übersetzung des Bewunderten in nüchterne Sprache ist ein eigener Reiz, der die Bewunderung selbst verstärkt: erst ein adäquat interpretiertes Gedicht entfaltet seinen vollen sprachlichen Zauber. Wie jede wissenschaftliche Bemühung ist Interpretation eine Annäherung an den Gegenstand. Dies vorausgesetzt, sollte sich die Art der Annäherung jeder Geheimnistuerei enthalten. Das Gedicht schwebt nicht in unzugänglicher Sphäre, sondern besteht in der Sprache, in der es geschrieben wurde. Sein Zauber ist magische Beschwörung, also eine Suggestion durch die Wörter der Sprache, die dem Hörer vertraut ist. Ein Gedicht in einer fremden Sprache kann seine Magie nur auf Kenner dieser Sprache ausüben, sonst zeigt es durch Klang und Rhythmus nur an, daß es eine Beschwörung bereithält; ein Eindruck, den halbverstandene Gedichte auch in der eigenen Sprache erwecken können.

Die Beschwörung durch Sprache geschieht durch Metrum, Rhythmus, Klänge, also durch die Wortwahl, denn nur durch die besondere Stellung besonders ausgesuchter Wörter werden diese Phänomene im Gedicht hervorgebracht. Eine Anordnung von Wörtern ruft semantische Beziehungen hervor. Schließen sich diese zu einer sinnvollen, das heißt beschreibbaren Ordnung zusammen, können wir von einer Struktur des Gedichtes sprechen. Das einzelne Wort [1] ist also der Schnittpunkt der Sprachmagie oder, weniger magisch gesagt, der sprachlichen Suggestion, und der Struktur, dem Gewebe sinnvoller Beziehungen. Das Gedicht kann offensichtlich nur aus dem Zusammenwirken beider Phänomene bestehen: eine Aussage ohne sprachliche Suggestion ist ebensowenig eine Dichtung wie ein Spiel mit Klängen ohne sprachlichen Sinn, das bestenfalls als schlechter Ersatz von Programmusik wirkt, wie in manchen Dada-Gedichten.

Das ist natürlich auch schon immer so empfunden worden. Schon die älteren Interpretationsbegriffe Form und Inhalt, Gehalt und Gestalt zielten auf diesen Zusammenhang, haben sich aber als unzureichend erwiesen, weil sie eine Trennbarkeit beider Aspekte voraussetzen, sie beruhen auf dem Bild eines Gefäßes, das eine Flüssigkeit enthält. Das Gefäß besteht fort, wenn die Flüssigkeit ausgegossen wurde. Dieser Formbegriff ist an metrischen und strophischen Konventionen abgelesen. Eine Form, die gegen ihren Inhalt nahezu gleichgültig ist, jedenfalls viele verschiedene Inhalte haben kann, ist beispielsweise das Sonett. Nur in diesem Sinne können wir den Formbegriff bestehen lassen. Die Benutzung einer Formkonvention, ihre Auflösung und Wiedergewinnung hat jeweils einen besonderen Wert. Sie ist eine Weise der Kommunikation des Autors mit seinen Lesern, die Konventionen kennen und erwarten.

Auch innerhalb einer solchen Formkonvention sind Gedichte möglich, die sich durch die beiden Aspekte Struktur und Sprachmagie interpretieren lassen. Es scheint aber, daß die Formkonventionen vor der Goethezeit eine entschieden größere Rolle spielten. Mit der Goethezeit und der Romantik treten Gedichte auf, deren Sprach- und Sinngestalt gewissermaßen absolut besteht, das heißt, in denen eine konventionelle Form, Ausdrucksmittel der Rhetorik, traditionelle Embleme und ähnliche traditionelle Elemente der Kommunikation sekundär, gleichgültig oder nicht vorhanden sind. Sie müssen auf ihre eigene Weise interpretiert werden. Die folgenden Interpretationen bekümmern sich daher um das deutsche Gedicht dieser Epoche, abgesehen von einigen Rückgriffen, die zeigen, daß die sprachlichen Mittel dieser Epoche nicht isoliert dastehen, daß eine Interpretation unter den Aspekten Struktur und Sprachmagie in den Möglichkeiten der Lyrik überhaupt verankert ist.

Ich möchte betonen, daß diese Aspekte nichts anderes sind als eben dies, Weisen der Betrachtung, also nicht Unterscheidung von selbständigen Schichten, die das Gedicht als Kompositum aus isoliert faßbaren Bestandteilen bestehen ließen. Es wird sich vielmehr in einigen der Interpretationen zeigen, wie die Klangwirkungen erst auf der Grundlage der semantischen Beziehungen zu ihrer Wirkung kommen können, ein Verhältnis, das umkehrbar ist. Eben dies, das Gedicht als Einheit, als unvergleichbarer Moment, ist ja das Kennzeichen unseres Begriffes von Lyrik geworden, und zwar so sehr, daß das moderne Gedicht die Neigung zeigt, die Kommunikation mit einem Publikum aufzugeben und sich in seine sprachliche Eigenwelt zu verkapseln. Die strukturellen Beziehungen der Wörter untereinander können sozusagen gegen das alltägliche Verständnis zusammengeschlossen werden, wie es von alters her im Rätsel geschieht. Da aber der Zauber der Wortkomposition oft dennoch den Verdacht höheren Sinnes erregt, kann auch das unverständliche Gedicht bis zu einem gewissen Grade wirken. Auch der Dichter selbst kann sich an diesem Zauber berauschen und die Bedeutungen der Wörter in einem unverbindlichen Assoziationsspiel, sozusagen musikalisch anklingen lassen. Damit verzichtet er auf Struktur und läßt allein die Sprachmagie gelten. Einfacher ausgedrückt: wenn wir nüchtern bleiben wollen, und das müssen wir, dürfen wir unsere Augen nicht vor der Tatsache verschließen, daß Unverständlichkeit des lyrischen Gedichtes nicht mehr als Provokation wirkt, sondern zur Konvention geworden ist. Unverständlichkeit ist kein Qualitätsbeweis, sie hat nur den Vorteil, den ängstlichen Kritiker abzuschrecken, der nicht gerne zu den Philistern geworfen werden möchte.

Die Interpretationen, die ich hier vorlege, entstanden ursprünglich aus dem Wunsch, Kriterien für die Interpretation moderner Gedichte in die Hand zu bekommen. Unter »modern« verstand ich zunächst Gedichte, in denen sich die Symbole verselbständigt haben, Eigenwert erhielten, also aus dem Gedicht heraus, nicht als Ausdruck einer Autor und Leser gemeinsamen Welt, verständlich seien.[2] Ich wollte vermeiden, das moderne Gedicht negativ zu kennzeichnen [3], und das war möglich, weil ich die integrierenden Momente von Sinnstruktur und Klang in den Vordergrund rückte. So ergab es sich, daß Leitbegriffe für die Interpretation von lyrischen Gedichten sich anboten, die denen ganz ähnlich sind, die mir für die Interpretation von Prosa unentbehrlich wurden. Der Begriff »Struktur« zielt auf ein inneres Gerüst, das Wortbedeutungen im Sinne einer Intention regelt. Daraus entsteht in der Prosa (übrigens auch im Drama) die fiktive Welt, die nicht allgemein, sondern nur auf dem Boden des jeweiligen Werkes beschrieben werden kann. Die Weise der sprachlichen Präsentation nenne ich im Falle der Prosa »Vergegenwärtigung«, denn es kommt in der Prosa darauf an, den Leser in der fiktiven Welt leben zu lassen, sie ihm zu vergegenwärtigen. Die Sprache hat, psychologisch gesprochen, ein suggestives Element. Im Gedicht ist dieses Element viel stärker, denn es will weniger und mehr als eine Welt vergegenwärtigen: einen Moment hervorheben, integriert aus Wörtern. Diesen Vorgang, die intensive Vergegenwärtigung, nenne ich Sprachmagie.

Die Aspektpaare »Struktur« und »sprachliche Vergegenwärtigung« für die Prosa, »Struktur« und »Sprachmagie« für die Lyrik sind nur Ansichten der Einheit eines Kunstwerkes. Die Intensität der Sprachmagie verändert auch das semantische System der Wörter, mit denen beschworen wird. Struktur der Prosa und Struktur der Lyrik sind also nicht dasselbe, obwohl beide ein Bedeutungssytem meinen. In der fiktiven Welt kann der Erzähler immer wieder hervortreten und das Verständnis der Leser lenken, sei es durch Kommentare, sei es dadurch, daß er den fiktiven Charakter der Welt des Romans im Bewußtsein erhält. Der Erzähler kann also als Figur ein Faktor der intentionalen Struktur werden. Aber er kann auch ganz zurücktreten, so daß er nur der Analyse in der Art seiner Perspektive deutlich wird, die er dem Leser aufdrängt. In der Lyrik ist das »lyrische Ich« von ungleich größerer Wichtigkeit, obgleich es in erzählenden Gedichten und der Gedankenlyrik ja auch fehlen kann. Die nachfolgenden Interpretationen beschäftigen sich mit den beiden letzteren Formen nicht, weil sie als Mischformen nur auf der Grundlage der »reinen« Lyrik betrachtet werden können. Auch das im lyrischen Moment beschworene Stück Welt ist anders: beschränkter, momentaner, weniger integriert, aus der Beziehung viel weniger Wörter entstehend als in der Prosa.

Der Gattungsunterschied zeigt sich also nur als ein gradueller. Ein wenig deutlicher wird er, wenn wir das Verhältnis von Autor und Leser ins Auge fassen. Die fiktive Welt (in Prosa und Drama) besteht aus den alltäglichen Orientierungen des Lesers, die durch die Struktur modifiziert, sozusagen an einigen Punkten auf die Struktur hin abgelenkt werden. Dieser Ablenkungsprozeß wird durch die suggestive Vergegenwärtigung der fiktiven Welt verborgen. Besonders der moderne Leser nimmt die strukturell vereinfachte Welt eines Romans willig an, so sehr, daß man den Roman als wesentlich realistisch mißverstehen konnte, ein Begriff, der zu endlosen Schwierigkeiten führt. Von der Lyrik erwartet der Leser von vornherein eine nicht-alltägliche Welt, was ihrer Beschwörung außerordentlich entgegenkommt. In dem einen wie dem anderen Falle helfen die Erwartungen des Lesers (die manchmal getäuscht werden, mit denen der Autor spielen kann), das Sprachkunstwerk zu konstituieren.

Der Charakter der Sprachmagie bringt es überdies mit sich, daß das lyrische Ich sich kaum vom Leser trennt. Die Beschwörung einer lyrisch-fiktiven »Gegenwelt« ist ein gemeinsamer Akt von Sprecher und Hörer oder Leser, es kann sich auch um eine Gruppe handeln. Redet der Romanerzähler den Leser mit »du« an, dann sondert er sich ab. Das kann, wie wir an Claudius' *Abendlied* beobachten werden, auch in der Lyrik geschehen. Geschieht es mit der Absicht der Absonderung und Belehrung, so wird ein episches Element in die Lyrik getragen: das lyrische Ich wird gestört. Im beschworenen lyrischen Moment ist es fast gleichgültig, ob »ich« (»Ahn' ich Mondenglanz und -glut«) oder »du« (»Ruhest du auch«) dasteht. Das lyrische Ich ist die Einheit von Sprecher und Hörer oder auch ein Selbstgespräch, was strukturell auf das gleiche hinausläuft.

10

1 Dämmrung senkte sich von oben,
Schon ist alle Nähe fern;
Doch zuerst emporgehoben
Holden Lichts der Abendstern!
5 Alles schwankt ins Ungewisse,
Nebel schleichen in die Höh';
Schwarzvertiefte Finsternisse
Widerspiegelnd ruht der See.

Nun im östlichen Bereiche
10 Ahn' ich Mondenglanz und -glut,
Schlanker Weiden Haargezweige
Scherzen auf der nächsten Flut.
Durch bewegter Schatten Spiele
15 Zittert Lunas Zauberschein,
Und durchs Auge schleicht die Kühle
Sänftigend ins Herz hinein.

Dieses achte Gedicht der *Chinesisch-Deutschen Jahres- und Tageszeiten* von Goethe [4] kann man fast unabhängig von dem Zyklus verstehen, in dem es steht, es unterhält zu Goethes mangelhafter Kenntnis chinesischer Zeichnungen und chinesischer Gedichte nur lockere Beziehungen [5], wenn wir uns nicht überhaupt entschließen, es sozusagen als die »deutsche Nachtzeit« des Zyklus zu betrachten. Ein geringer Beitrag zum Verständnis unseres Gedichtes ist eine Doppeltendenz, die sich in den umgebenden Gedichten findet: der selbstgewählten Einsamkeit des Alten, der in die exotische Maske flüchtet, der Distanz von Gesellschaft und Konvention, steht der Ausdruck erotischer Sehnsucht entgegen. Beide Momente werden in unser Gedicht einbezogen. Auch die offensichtliche Anspielung auf den *West-östlichen Divan,* die vor allem im Titel und im Eingangsgedicht des Zyklus hergestellt wird, gehört zu seinem Hintergrund.

Die erste Zeile präsentiert das trochäische Metrum [6] und versieht es sogleich mit einer Sinndeutung: »Dämmrung senkte«. Das erste Wort hat eine volle Silbe als Senkung und zwingt zum langsamen Sprechen. Die Vereinigung des trochäischen Metrums mit der Vorstellung des Sich-Senkens bestimmt das ganze Gedicht mit nur geringen Variationen. So entsteht eine gewisse Monotonie. (Man kann nicht sagen, daß der Trochäus allein die Vorstellung des Fallens bewirkt. Rilkes Gedicht *Herbst* aus dem *Buch der Bilder*, in dem das Wort »fallen« in neun Versen siebenmal vorkommt, das überhaupt eine Variation des Themas »fallen« ist, hat jambisches Metrum, ohne daß man Rilke dies als Fehler ankreiden könnte.) Das trochäische Metrum wird nirgends unterdrückt, rhythmische Variationen bestehen nur darin, daß einige Hebungen schwächer sind als andere. So tritt in der ersten Zeile das Wort »sich« hinter der nächsten Hebung »oben« ein wenig zurück und gibt somit Raum für eine Gegenbewegung. Der Blick des lyrischen Ich folgt nicht nur dem Fallen der Nacht, sondern richtet sich auch nach dem Ursprung dieses Fallens, nach »oben«. Das wird besonders deutlich in der dritten Zeile, wo die erste Hebung schwächer ist als die drei folgenden. Als Wirkung tritt die besondere Hervorhebung der langen o-Laute in »emporgehoben« auf, die, unterstützt von den kürzeren des unterdrückten »doch« und von den vorhergehenden »von oben« (Vers 1) und »holden« (Vers 2), eine stark integrierende Wirkung haben. Die Monotonie unterstützt den beschwörenden Charakter der Sprache. Reizvoller Kontrast ist der e-Klang von »Zuerst«, der die stärkste Betonung des dritten Verses erhält, und seinerseits mit den – freilich kurzen – er-Klängen der Reimwörter »fern« und »Stern« in den beiden zunächstliegenden Zeilen verbunden ist. Durch die semantische Bedeutung von »Zuerst« wird die Hervorhebung der o-Klänge unterstützt, wenn nicht überhaupt konstituiert.

Die zweite Hälfte der ersten Strophe führt das trochäische Metrum streng durch, also ohne stärkere rhythmische Variationen. Die semantische Bedeutung der aufwärtsschleichenden Nebel wird nahezu unterdrückt von dem metrischen Rhythmus und durch das völlige Fehlen des o-Lautes, der mit der Blickrichtung nach oben assoziiert wurde. Die Semantik von »schleichen in die Höh'«, auch der Vokalfremdkörper von lang-ö, bildet also eine wenig spürbare Gegenbewegung, der Vers selbst verstärkt eher das Gefühl des Unheimlichen und Geisterhaften. Das Wirken der Nacht auf dem Seespiegel, die weitere Entfernung der nahen Dinge, ihre Verwandlung der vertrauten Welt, wird zwingend gemacht durch das trochäische Metrum, das gleichmäßig niedertropft.

Diese Halbstrophe weist das erstaunlichste Spiel von Vokalklängen auf. Die zweite Strophe wird sich auf diesen Teil stärker noch als auf den ersten zurückbeziehen. Das lange a von Abendstern wird in Vers 5 zunächst variiert durch zwei kurze a-Laute, die durch die folgenden Konsonanten einander noch ähnlicher werden (»Alles schwankt«). »Alles« verweist klanglich, mehr noch semantisch, zurück auf »alle« in

Vers 2. Dieser Vers und Vers 5: »Schon ist alle Nähe fern« und »Alles schwankt ins Ungewisse« sagen fast dasselbe, unterstützen sich gegenseitig. Sie halten gewissermaßen zusammen gegen die Aufwärtsbewegung, die durch den o-Klang charakterisiert wurde. Nach dem wiederholten a-Klang beginnt fast unmerklich das i-Thema, das zu einer Steigerung bestimmt ist. Zwei i-Laute waren vorhergegangen. Der in Vers 2 ist wohl wenig bedeutend, um so bedeutender, besonders in Goethes Welt, freilich das Wort »Licht« in Vers 4. Die vokalische Umgebung dämpft es jedoch. Das musikalische Thema der i-Klänge beginnt voll erst in Vers 5, weil diese Klänge in Wörtern oder in der Nähe von Wörtern vorkommen, die semantisch zusammengehören, aber einen Kontrast zu dem »holden Licht« des Abendsternes bilden. Auch diesen Kontrastreiz wird man einbeziehen müssen. Zwei kurze i-Laute in Vers 5, (»ins Ungewisse«) der erste unbetont, der zweite betont, ein kurzer betonter und ein langer unbetonter in Vers 6: verhalten beginnt das Thema, die erste Hebung von Vers 7 setzt das a-Thema fort und dann tritt das i-Thema voll hervor, schwingt sich in den metrischen Rhythmus der Trochäen, gleitet über in den letzten Vers der Strophe mit zwei langen i-Lauten in betonter Stellung (»Schwarzvertiefte Finsternisse / Widerspiegelnd«). Die Strophe endet mit einem u- und einem e-Klang, die lockeren Beziehungen zu »Nebel« (Vers 6) und »Ungewisse« (Vers 5) unterhalten.

Die integrative Wirkung der e-Laute ist offenbar nicht sehr groß. Ein Zusammenhang zwischen »senkte«, »fern«, »-stern« und den beiden langen e-Klängen »See« und »Nebel« ist nicht ganz von der Hand zu weisen, aber tritt doch sehr hinter den o-, a- und i-Klängen zurück. Ob das lange ö, das mit »See« einen unreinen Reim bildet, in das e-System einbezogen werden soll, da Goethe offenbar den Reim nicht als so unrein empfand, lasse ich dahingestellt. Es hat sicherlich eine Beziehung zu dem kurzen ö von »östlichen« im ersten Vers der zweiten Strophe (Vers 9). Der ei-Diphthong in Vers 6 steht in der ersten Strophe isoliert da, wird aber in dem Klangspiel von Vers 11 wieder aufgenommen werden.

Es dürfte hier schon deutlich geworden sein, wie Metrum, Rhythmus (hier kaum vom Metrum unterschieden), Vokalklänge und die Wortbedeutungen zusammenwirken. Keines dieser Elemente bringt eine der bezeichneten Wirkungen für sich hervor. Es hat deshalb wenig Sinn, diese Wirkungen zu betrachten, als spielten sie sich in einer sprachlichen Schicht ab, der Klangschicht, rhythmischen oder Bedeutungsschicht. Alle Stratifikationstheorien sind Hilfskonstruktionen. Zwar wirken wiederholte Vokalklänge immer integrierend, aber eine eigentliche Bindung entsteht nur durch die Wiederholung von gleichen oder ähnlichen [7] Vokalklängen in Hebungen. Vokale, die in Senkungen vorkommen, können diese integrative Funktion unterstützen, nicht tragen. (Das unbetonte kurze e ist übrigens klanglich fast ohne Bedeutung, wenn es auch in den meisten Fällen das Metrum erst eindeutig macht.) Die Integrationskraft der Vokale kann vom Metrum nicht absehen. Der Rhythmus, also die Abweichungen vom Metrum, kann die Vokale, die Integrationsfunktion haben, besonders herausheben, was in unserem Gedicht nur andeutungsweise der Fall ist, weil es fast durchgehend metrischen Rhythmus hat. Eine solche Hervorhebung geschieht durch den Sinn, ist also ohne semantisches Verständnis nicht möglich.

Die integrative Wirkung der Vokalklänge in unserem Gedicht ist nicht nur der Zusammenschluß gleicher semantischer Elemente. Das war der Fall der o-Klänge und der a-Klänge in der ersten Strophe. Die i-Klänge bildeten das markanteste Thema, indem sie sich um das Wort »Finsternisse« zusammenschlossen. Aus dem Hintergrund wirkte aber der Kontrast des (holden) Lichtes auf dieses vom Metrum so verstärkte Klangthema ein. Das i-Thema endet mit »widerspiegelnd«, eine Vorstellung, die von »Licht« nicht zu trennen ist. Der Einwand liegt nahe, die integrative Funktion der Vokalklänge sei durch diesen merkwürdigen Kontrast ad absurdum geführt, unsere Interpretation habe die Klänge willkürlich mit der Semantik verbunden. Dem läßt sich aber leicht begegnen. Nichts zwingt uns anzunehmen, Integration werde nur durch Gleichheit bewirkt. Gerade der Kontrast ist eine sehr wirksame Art der Integration im Gedicht. Wollen wir uns in Goethes Sprache ausdrücken, setzen wir statt Kontrast Polarität [8] ein. Polarität bestimmt die Klangfunktionen auch anderswo. So steht die von den Wörtern »oben«, »emporgehoben« und »hold« gedeutete semantische Einheit der o-Klänge der Gruppe der a-Klänge entgegen, die durch »alles schwankt« und »schwarz« charakterisiert wird. Die Zeile »Holden Lichts der Abendstern« schließt die o-Klänge mit einer Variation des kurzen a-Klanges, nämlich lang-a, zusammen. Abend und Nacht bringen die irdischen Verhältnisse ins Schwanken, lenken aber den Blick nach »oben« auf den Stern als Orientierungspunkt. Die o- und a-Klänge sind also polar aufeinander bezogen, und diese Polarität finden wir auch in »Licht« und »Finsternis«.

Nicht nur diese beiden Wörter bilden eine semantische Polarität auf der Grundlage gleichen Klanges, wir finden Ähnliches in den u-Lauten. Man kann wohl kaum verkennen, daß der lange u-Vokal in »ruht« (Vers 8) eine besondere Bedeutung gewinnt, weil er dem monotonen i-Thema ein Ende setzt. Die zweite Strophe beginnt mit einem u-Laut, der allerdings eine leichte metrische Drückung erfahren muß: »Nun im östlichen...« Das Wort »östlichen« erhält stärkeren Ton. Das ändert aber nichts daran, daß zwischen der Vorstellung »ruht« und der von »nun« (eine Veränderung anzeigend) ein Gegensatz besteht. Das polare Bedeutungsverhältnis der Wörter mit u-Klang wird fortgesetzt in den Reimwörtern »-glut« (Vers 10) und »Flut« (Vers 12). In diesem Falle dürfte es kaum einen Zweifel geben.

Jetzt verstehen wir auch, wie das Wort »Luna« (Vers 14) in das Gedicht integriert ist. Im ersten Augenblick stört es den modernen Leser. Er fühlt sich an Rokoko-Schäferlyrik erinnert.[9] Aber die o-Klänge sind in diesem Gedicht eindeutig mit der Richtung nach oben assoziiert. Zuerst wurde der Glanz des Mondes mit diesem Klang begrüßt (Vers 10), dann aber handelt es sich um das Gestirn des Zaubers, dessen Schein auf dem Wasserspiegel »zittert«. Für diese halb mythische, halb angeschaute Bedeutung des Mondlichtes, für dieses Zeichen der Verzauberung, eignet sich der u-Laut viel besser, der anders konstituiert wurde, nämlich zwischen Gegensätzen schwankend. Dazu kommt dann noch die zweite Silbe des mythischen Namens, das unbetonte, aber lange a, das auf »Abend(stern)« zurückverweist und an das damit verbundene »alles schwankt« erinnert.

Es ist klar, daß es sich nicht um u- oder a-Laute an sich handelt, sondern um Laute, wie sie sich in diesem Gedicht semantisch konstituiert haben; ebenso wie das i-Thema der ersten Strophe mehr mit Schwärze und Finsternis als mit Licht zu tun hatte, obwohl man den i-Vokal doch »hell« nennt. Die semantische Wirkung der Vokalqualität beruht auf den Wortbedeutungen. Sie gilt deshalb nur für das eine Gedicht. Kaum finden wir einen ähnlich gelungenen musikalischen Gebrauch der Vokalklänge wieder. Auch hieran erkennt man den Beschwörungscharakter, der seine Wirkung nur aus der einmaligen, jetzt im Sprechen des Gedichtes gegenwärtigen Beziehung von Metrum, Rhythmus, Klängen und Bedeutungen bezieht, eine Beziehung, die an sich nichts bedeutet und zerfällt, wenn das Gedicht verklungen ist.

Die Klangbeziehungen machen auf Wortbedeutungen aufmerksam (was im Leser wohl meist unterschwellig geschieht), die im Verhältnis einer auseinanderstrebenden Polarität stehen. Polarität von oben und unten wird dem Leser ganz bewußt gemacht in der Weise, wie seine Vorstellung der Landschaft des Gedichtes gelenkt wird. Die Dämmerung senkt sich von oben, dann wird der Blick zum Abendstern emporgehoben, Nebel schleichen von unten nach oben, der Blick senkt sich wieder zu den Finsternissen auf dem Seespiegel. In der zweiten Strophe hebt er sich zum Glanz des Mondes am Himmel und senkt sich zu den zauberhaften Schattenspielen auf der Wasseroberfläche. Diese Vorstellungsbewegungen und die klangverbundenen semantischen Polaritäten werden durch den metrischen trochäischen Rhythmus zusammengezwungen. Diese Spannung zwischen Auf- und Abbewegung der Vorstellung und dem zwingenden Charakter des fast metrischen Rhythmus bestimmt den Charakter des Gedichtes.

Der metrische Rhythmus wird (abgesehen von der kaum merklichen Variation in Vers 1) in fünf Versen leicht verändert. Dies geschieht viermal auf die gleiche Weise: die erste Hebung wird leicht, nicht ganz unterdrückt. Wir registrieren eine erste solche Drückung in Vers 3, dann wieder in Vers 9. Das Wort »östlichen« ist bedeutungsschwerer als »nun«, eine gewisse Zurückdrängung der ersten Hebung wird dem Sprecher aber auch durch die ähnlichen Konsonanten n und m in Hebung und Senkung erleichtert.[10] Das Wort »östlichen« wird auch dadurch herausgehoben, daß es zwei Hebungen erhält, von denen natürlich die zweite, weil auf unbetonter Silbe liegend, weniger verwirklicht wird. Nur noch ein anderes Wort erstreckt sich über zwei Hebungen und hat eine Hebung auf schwacher Tonsilbe: es ist »sänftigend« in Vers 16, das ganz sicher einen besonderen Nachdruck erhalten soll. Dasselbe können wir von dem Wort »östlichen« annehmen. Der Vokal kurz-ö war noch nicht aufgetreten, erinnert aber an das lange ö von »Höh'«. Tatsächlich hebt sich ja der Blick wieder von dem Seespiegel ab, um im östlichen Bereich des Himmels, wenn auch tief am Horizont, den Glanz des Mondes zu erwarten. Das Beziehungswort »Höh'« steht auch seinerseits allein, legt man die reine hochsprachliche Aussprache zugrunde. Goethe könnte es mit dem Reimwort »See« und damit auch mit »Nebel« verbunden haben. In keinem Falle wäre die Integration sehr stark. Das Wort »östlichen« verweist eher aus dem Gedicht heraus, auf den Gedanken der Flucht in den Osten, der dem Zyklus zugrundeliegt und seinerseits auf den *West-östlichen Divan* verweist und damit auf den Komplex von Flucht aus der Bedrängnis der höfischen Konvention in eine phantasievoll-freie Erotik,[11] die doch niemals zügellos wurde, sondern ästhetisch, gewissermaßen metrisch gebändigt blieb.

Vers 10 kann man wieder im metrischen Rhythmus lesen. Größere Wirkung hat er, wenn man dieselbe leichte metrische Drückung wie im vorhergehenden Vers anwendet (und wie in Vers 3 und 15). Vers 9 und 10 besäßen dann eine engere Bindung. Sie sind das Zentrum des Gedichtes. Das »Ungewisse« wird vorübergehend orientiert: der Mond geht auf.[12]

Das Mondmotiv findet man immer wieder in Goethes Werk, es kann verschiedene Bedeutung haben, sehr häufig ist eine erotische, oder der Mond ist ein Begleitmotiv in einer erotischen Szene. Das ist zwar keine überraschende Feststellung, sie gehört aber in unseren Zusammenhang, weil das erotische Thema in unserem Gedicht halb verborgen ist. Das Mondmotiv hat bei Goethe noch eine weitere wichtige Bedeutung: das der Wandlung. Auch das ist ein altes mythisches Erbe, das freilich bei Goethe eine überraschende existentielle Erneuerung erfährt: besonders klar in *Jägers Abendlied* [13] und in der Klassischen Walpurgisnacht. Auch das schöne Chorlied, das Fausts Erneuerung bezeichnet, und dessen Entstehung von der unseres Gedichtes nicht allzu fern liegen kann, führt von der Dämmerung über »des Mondes volle Pracht« zu neuem Erwachen am Tage. [14] In diesem Chorlied erscheinen die Himmelslichter im Wasser gespiegelt; nach dem »seeisch heitern Feste«, »wo Luna doppelt leuchtet«, streben die Sirenen der Klassischen Walpurgisnacht. Der festliche Zauber des Mondscheins am Himmel und zugleich in der Wasserspiegelung beherrscht auch die Situation der zweiten Strophe unseres Gedichtes.

Noch eine eigenartige Parallele ist anzuführen aus der Novelle *Der Mann von funfzig Jahren* aus den *Wanderjahren,* an der Goethe im gleichen Jahre, 1827, arbeitete. Es ist eine Eislaufszene. »Der volle Mond stieg zu dem glühenden Sternenhimmel herauf und vollendete das Magische der Umgebung«. [15] Zu dieser Umgebung gehören übrigens auch Weiden. Die Situation ist gespannt, denn zwei Liebende betrachten ihre noch unerklärte Liebe als unerlaubt, das Mädchen ist mit dem Vater des jungen Mannes verlobt. Diese Spannung wird sprachlich angedeutet durch ein Spiel zwischen den »beschatteten Augen« und einem Licht, das »aus ihren Abgründen« hervorzublicken schien. Ein wenig überraschend ist die zusammenfassende Feststellung, daß beide sich »in einem festlich behäglichen Zustande« fühlten. So fahren beide auf ihren Schlittschuhen »dem lang daherglitzernden Widerschein des Mondes, unmittelbar dem himmlischen Gestirn selbst entgegen« (im Vorbeigehen bemerken wir die Wirkung der i-Vokale auch in diesem Stück Prosa). »Da blickten sie auf und sahen im Geflimmer des Widerscheins die Gestalt eines Mannes hin und her schweben, der seinen Schatten zu verfolgen schien und selbst dunkel, von Lichtglanz umgeben, auf sie zuschritt ...« Das Paar sucht der Gestalt auszuweichen, in den Schatten zu entkommen, doch sie werden zuerst umkreist, und dann: »im vollen Mondglanz fuhr jener auf sie zu«. Er steht vor ihnen. Es ist der Vater des einen, der Verlobte der anderen, der Augenblick der Wahrheit, die Entscheidung.

In der zweiten Strophe unseres Gedichtes finden wir dieselben Elemente: ein Element der Unsicherheit, Spiele von Licht und Schatten, der Mond und sein Widerschein, eine Andeutung von Tanz, das erotische Motiv (in der Novelle klar im Zentrum, in unserem Gedicht nur angedeutet). Der Zug von Klarheit und Reinheit ist in der Novelle mit dem vollen Mondschein verbunden wie auch in der Klassischen Walpurgisnacht. In unserem Gedicht geht dieses Verhältnis mehr aus der Anordnung der Vokalklänge hervor.

Wir kennen den eindeutigen Wert des langen o aus der ersten Strophe. Der Vokal kommt in der zweiten nur einmal vor, aber durch die (hier angenommene) metrische Drückung der ersten Hebung von Vers 10 wird das Wort Mond(esglanz) besonders hervorgehoben. Umgeben ist dieser Klang von den Vokalen a und u. Das »ahn' ich«, hier Ausdruck noch unsicheren, unklaren Sehens, und der »Glanz« stehen in einem ähnlichen Kontrastverhältnis wie »Abendstern« und »alles schwankt« in der ersten Strophe. Die letzte Hebung auf u enthält die schon dargestellte Polarität.

Eine mythische Lebendigkeit beschwören die Verse 11 und 12. Die wie Frauenhaar fallenden Zweige der »schlanken Weiden« deuten ein erotisches Motiv an. Der Rhythmus wird wieder eindringlich metrisch in Vers 11, unterstützt von dem Vokalspiel kurz a – ei, lang a – ei. Dieses Vokalspiel gibt dem Rhythmus etwas Tänzerisches, es verwandelt ganz den Charakter der fallenden Trochäen, wie sie in der ersten Strophe herrschten. Gleich darauf wird dieser Rhythmus variiert. Vers 12 hat die einzige metrische Drückung auf einer anderen als der ersten Silbe, hier ist die zweite leicht gedrückt. Von »Scherzen« zu »nächsten« wird ein Bogen geschlagen, gewissermaßen ein tänzerischer Melodiebogen. »Nächsten« verweist auf die »Nähe« der ersten Strophe, die dort »fern« geworden war. Jetzt ist das Spiel auf dem Wasserspiegel nahegerückt. Die Vokalklänge, obwohl immer noch mit den in der ersten Strophe konstituierten Bedeutungen verbunden, sind jetzt abwechslungsreicher, bunter, freier. Das ei war in der ersten Strophe nur schwach verankert, der Verweis auf »schleichen« in Vers 6 ist zunächst kaum spürbar, er wird erst durch die Wiederaufnahme des Wortes in Vers 15 verstärkt. Ein weiterer Diphtong, au, tritt in Vers 12 unscheinbar in der metrischen Drückung auf; er gewinnt erst in Vers 14 und 15 große Bedeutung. Soweit man innerhalb dieses so streng komponierten Gedichtes überhaupt davon sprechen kann, beginnt eine Lockerung, eine Zügellosigkeit um sich zu greifen.

Aber nach Vers 12 ist eine Zäsur deutlich zu bemerken, obwohl sie von Klängen überspielt wird, die gerade in dieser Zeile wieder integrativ [16] wirken. Die Syntax und der männliche Reim unterstützen die Zäsur, sie wird aber eigentlich deutlich durch die Distanz der Aussage. Die scherzenden Haargezweige der Weiden sind viel unmittelbarer, selbstverständlicher lebendig als der Schein des Mondes, der durch bewegte Schatten zittert. Die mythische Erscheinung der »Luna« und das Wort »Zauberschein« müssen das Verb »zittert« unterstützen, um den mythischen Bereich semantisch, das heißt bewußt, zu halten. Der rhythmische Tanz hört jedoch auf. Er wäre weitergegangen, hätte sich ein ähnliches Vokalspiel wie das von Vers 11 wiederholt, wie man leicht ausprobieren kann.

Man erkennt an diesem Beispiel wieder einmal, wie alle »Schichten« des Gedichtes sich gegenseitig unterstützen. Besser gesagt, es gibt eigentlich diese Schichten, rhythmische, klangliche, semantische Schicht, nur in der Theorie, als Hilfskonstruktion. An sich bezieht ein Element von dem anderen seine Funktion. Der metrische Rhythmus von Vers 11 hat eine tänzerische Wirkung wegen der Vokalklänge, der von Vers 13 hat sie nicht, und zwar nicht nur wegen anderer Vokalklänge, sondern auch weil seine Aussageebene anders ist, nämlich distanziert mit mythischer Verkleidung in Vers 14 und 15. Dieser Satz bringt die mythische Ebene zum Bewußtsein, wirkt also auf den vorhergehenden zurück. Diese Rückwirkung wird durch integrative Bindungen der Klänge begünstigt.

In den Vokalklängen von Vers 13 herrscht eine ähnliche Buntheit wie in der vorhergehenden Halbstrophe, es gibt keine Wiederholung unter den Vokalen der Hebungen: kurz-u, lang-e, kurz-a, lang-i. Sie gehören aber sämtlich zu den aus der ersten Strophe bekannten Klängen. Vers 13 fängt die um sich greifende Zügellosigkeit auf und integriert wieder stärker. Daran wirkt auch die Alliteration mit dem sch-Klang mit: Schatten-Spiele (die Aussprache ist natürlich entscheidend, nicht das Schriftbild). Die Alliteration weist zurück auf »Scherzen« (Vers 12) und »Schlanker« in Vers 11 und voraus auf »(Zauber)-schein« (Vers 15) und »schleicht« (Vers 16). Auch in der ersten Strophe gab es eine sch-Gruppe, jedoch ohne Alliteration im gleichen Vers: »schwankt«, »schleichen«, »schwarz(vertiefte)« in den Versen 5—7. In Vers 15 hilft die Alliteration des z mit, den mythischen Inhalt gegen die in Wahrheit schon gewonnene Distanz der Aussageform noch einmal zusammenzuschließen, bevor Auge und Herz des lyrischen Ich das Feld behaupten.

Fast unbemerkt, in einer noch dazu gedrückten Senkung, war in Vers 10 das lyrische Ich auf dem Schauplatz erschienen, eine Tatsache von großer struktureller Bedeutung.[17] Nichts kann in einem überschaubaren Gedicht wie diesem geschehen, das nicht seine Rückwirkungen hätte. Die ganze erste Strophe erweist sich als Aussage eines beobachtenden Ich. Das wurde in der Strophe selbst dadurch vorbereitet, daß es Aussagen gibt, die innerhalb von mythischen Verlebendigungen die Orientierung eines Beobachters erkennen lassen. So senkt sich die Dämmerung in mythischer Aussageweise, aber »von oben«; die »Nebel schleichen«, aber »in die Höh'«, sie werden also von einem untenstehenden Betrachter gesehen. Ebenso »ruht der See«, aber die Spiegelungen, die er hervorbringt, sind nicht Teil einer mythischen Verlebendigung. Die mythische Aussageweise ist an sich natürlich nichts Besonderes, wir brauchen sie täglich, wenn wir die Sonne scheinen oder den Mond aufgehen lassen. Was in unserer naturwissenschaftlich beeinflußten Normalwelt als sprachliches Relikt stehengeblieben ist, kann im Gedicht jederzeit aktiviert werden. Das Klischee weicht dann einer mythisch lebendigen Welt. Das ist auch und gerade in der modernen Dichtung so. Benns Verbot des »wie« in zeitgemäßer Lyrik als eines Bruches in der Vision [18] fordert geradezu die mythische Verlebendigung. In unserem Gedicht ist offenbar ein Schwebezustand intendiert zwischen solcher mythischen Verlebendigung und der kühlen Betrachtung des Ich-Subjekts, das der Welt gegenübersteht. Dieser Schwebezustand wird außer in den angegebenen Beispielen leicht erkennbar an der syntaktisch unvollständigen Aussage der Verse 3 und 4. Wurde der Abendstern emporgehoben? Von wem? Oder hat der Abendstern den Blick zu sich emporgehoben? Das bleibt dunkel, und übrig bleibt als Eindruck eine beobachtende Feststellung, der aber die merkwürdige syntaktische Formulierung entgegensteht. Das volle Hervortreten des Mythischen wird gehemmt. So bleibt der mythische Nymphentanz nur ein Scherzen im Zauberschein der nicht eindeutigen Luna, eine Täuschung, nur Spiel bewegter Schatten. Das Wort »Spiele« in Vers 13 erinnert zum erstenmal wieder voll (zwei i-Klänge in Senkungen rechnen kaum mit) an das eindrucksvolle i-Thema der ersten Strophe, an die Spiegelung der Finsternisse. Eigentümlich wird dieser Laut durch seinen unreinen Reim »Kühle« verfremdet. Die Kühle muß nun alles enthalten, die Schatten, die Finsternisse, die Flut. Das Wort »Auge« bezieht sich in seinem Vokalklang noch einmal auf den »Zauberschein«, auch auf die beiden ei-Klänge in »schleicht« und »hinein«. Der er-Klang in »Herz« verweist auf »scherzen«, vielleicht auf »Stern« und »fern« in der ersten Strophe (Vers 2 und 4). »Sänftigend« endlich erinnert an den Wortrhythmus von »östlichen«, damit an den Zyklus, seine Beziehung auf den *West-östlichen Divan*. In dem ä-Vokal wird auf das Eingangswort »Dämmrung« verwiesen.

Die beschworene Landschaft mitsamt ihrer mythischen Potenz und das lyrische Ich sind am Ende in Übereinstimmung. Der Schwebezustand zwischen mythischer Lebendigkeit und kühler, beobachtender Feststellung löst sich, das Ich, das seine alltägliche Orientierung verlor, läßt sich in die Landschaft einbeziehen. Freilich nicht in der ekstatischen Weise (die einen Augenblick lang in den Versen 11–14 möglich schien, jedoch schon in Vers 12 abgebogen wurde), nicht in erotischer Passion, nicht in einem Selbstauslöschen in der »nächsten Flut«, so bedrohlich diese auch nahegerückt war, sondern in der Weise kühler Sänftigung. Goethes Altersthema der Entsagung klingt an. Es war auch in der Szene aus den *Wanderjahren* gestaltet, die so viele Ähnlichkeiten mit der Szene unseres Gedichtes aufwies. Die Resignation, die in der Parallelszene in den *Wanderjahren* gemeint ist, Goethes Thema der Entsagung überhaupt, ist im Grunde religiöser Natur: Anerkenntnis des Ichs, nicht selbstherrlich zu sein, sich einordnen zu müssen. In unserem Gedicht geht das lyrische Ich in die Landschaft ein, während andererseits die Landschaft durch das lyrische Ich ihre Bedeutung erhält. Dieser Vorgang spielt sich ab vor dem Hintergrund einer unirdischen Orientierung »von oben«, während die nüchternen irdischen Orientierungen des Ich ins Schwanken geraten, in einem Schwebezustand erhalten werden. Die Struktur des Gedichtes besteht darin, daß sich lyrisches Ich und Landschaftsbild vor einem angedeuteten religiösen Hintergrund gegenseitig konstituieren. Ihr Verhältnis zueinander orientiert und stützt die Weise der Beschwörung. Umgekehrt ist natürlich das strukturelle Verhältnis zwischen lyrischem Ich und Landschaft nicht ohne die sprachliche Gestalt. Der Satz: ein lyrisches Ich steht einem Landschaftsbild gegenüber, es verliert seine nüchterne Orientierung und vereinigt sich mit der Landschaft, ist keine Interpretation, sondern nur ein Hilfsbegriff, der nach Vervollständigung verlangt. Erst die Klangbeziehungen, der Rhythmus schenken den Wortbedeutungen die Notwendigkeit, mit denen das lyrische Ich in sein Wechselverhältnis mit der Landschaft gerät.[19]

Lyrisches Ich und Landschaftsbild sind unterscheidbar, aber nicht streng getrennt. Das lag, wie wir sahen, in der Absicht des Gedichtes. Landschaft und lyrisches Ich rücken einander nahe. Sein Anfang ist in dem Tempusunterschied von Vers 1 und 2 bezeichnet. Das Präteritum des ersten Verses ist ein episches Präteritum, die Aussage wäre, wenn man sie vom übrigen Gedicht trennte, die eines Erzählers, der eine Fiktion erzeugt, die er orientiert. Der Wechsel zum Präsens im zweiten Vers hilft mit, daß der Leser in den Vorgang einbezogen wird, die Distanz verliert. Das lyrische Ich ist mit dem Leser identisch.

II

Ein anderes Strukturverhältnis von Ich und Landschaft herrscht in dem früheren Gedicht *Auf dem See,* allerdings gibt es auch unverkennbare Ähnlichkeiten. Sie beruhen natürlich auf Grundorientierungen Goethes, die sich ebenso in einem späten wie in einem frühen Gedicht äußern können.

> 1　Und frische Nahrung, neues Blut
> 　　Saug' ich aus freier Welt;
> 　　Wie ist Natur so hold und gut
> 　　Die mich am Busen hält!
> 5　Die Welle wieget unsern Kahn
> 　　Im Rudertakt hinauf,
> 　　Und Berge, wolkig himmelan,
> 　　Begegnen unserm Lauf.
>
> 　　Aug', mein Aug', was sinkst du nieder?
> 10　Goldne Träume, kommt ihr wieder?
> 　　Weg, du Traum, so gold du bist:
> 　　Hier auch Lieb und Leben ist.
>
> 　　Auf der Welle blinken
> 　　Tausend schwebende Sterne,
> 15　Weiche Nebel trinken
> 　　Rings die türmende Ferne;
> 　　Morgenwind umflügelt
> 　　Die beschattete Bucht,
> 　　Und im See bespiegelt
> 20　Sich die reifende Frucht.

Die drei Strophen dieses Gedichtes sind drei deutlich unterschiedene Teile. Die erste Strophe besteht aus zwei Halbstrophen. Teilt man diese ab, so erhielte man zwei Volksballadenstrophen (vom Chevy-Chase-Typ), vierhebig und dreihebig abwechselnd, wie in Goethes etwa gleichzeitigen Balladen *Hoch auf dem alten Turme* ... (späterer Titel: *Geistesgruß)* und *Vor Gericht;* in *Auf dem See* herrscht jambische Füllung, während die Volksliedzeilen auch zweisilbige Senkungen haben können.

Der Rhythmus der ersten Strophe verlangt überall drei Hauptbetonungen mit Ausnahme von Vers 5, wo die Welle den Kahn wiegt und metrische Lesung geboten ist. Die leichte Drückung jeweils einer Hebung in den vierhebigen Versen (1, 3, 5, 7) überdeckt die deutliche Pause am Ende der dreihebigen Verse, gleicht die vierhebigen den dreihebigen an. Diese Verhältnisse tragen dazu bei, die Ähnlichkeit der Strophenform mit der der Volksballade zu verschleiern. Andererseits ist der Auftakt in den ersten vier Versen verstärkt, er hat einen Nebenton.[20] Das wirkt der jambischen Regelmäßigkeit entgegen und ist auch in einigen Versen von *Hoch auf dem alten Turme*... so zu finden, wo übrigens ebenfalls zweisilbige Senkungen fehlen. Die Anspielung ist deutlich. Die beiden genannten Balladen Goethes zeichnen sich durch einen frischen und freien Ton aus. Die Wörter »frisch«, »frei«, »neues Blut« bestimmen den Anfang von *Auf dem See*.[21]

Vokalthemen sind seltener in diesem Gedicht. Gleich zu Anfang haben wir eines. Die erste Hebung aller vier Zeilen liegt auf einem kurzen i und durch die semantische Nähe von »ich« und »mich« erhält dieses Thema den Charakter.[22] Das Thema löst sich in der zweiten Halbstrophe auf. In Zeile 5 erscheint ein langes i, und dann wird das i-Thema an »hinauf« und »himmelan« gewendet. Das Wort »ich« wird in der zweiten Halbstrophe ersetzt durch »unser« (Vers 5 und 8). Das stark betonte Ich, das enthusiastisch nach Frische, Erneuerung und freier Welt greift, gibt den Blick auf die Reisegesellschaft frei und öffnet sich dem Erlebnis der Bergwelt.

Aber diese Öffnung für ein Sichtbares in »wolkig himmelan« wird jäh unterbrochen. Der eben implizierte Sinn des Auges wird ausgesprochen, aber anders gewendet als erwartet. Die zweite Strophe geht zu vierhebigen Trochäen und zu Reimpaaren über. Die Anspielung auf das Balladeske hört plötzlich auf.

Die Klang- und Wortwiederholung von »Aug', mein Aug'« kehrt mehrfach variiert wieder. Auf den Vokalklang antwortet »Traum« (Vers 11), dieses Wort ist die Wiederholung seines Plurals »Träume« in Vers 10. »Goldne« (Vers 10) entspricht »gold« (Vers 11), auch die alliterierende Formel »Lieb und Leben« gehört in diesen Bereich, mehr noch die Klangwiederholung in den Reimpaaren auf lang-i und kurz-i. Diese Wiederholungen helfen, das ausgreifend Balladeske zu verhalten.

Das Klangthema ist also eine Verbindung von lang- und kurz-i mit au, das lange o von »goldne« und »gold« bildet ein Seitenthema. Die Strophe ist nicht eintönig, hat aber eine deutliche Tendenz, sich auf diese Hauptklänge festzulegen. Lang-i und au geraten eindrucksvoll zusammen in Vers 12, wo »auch« nicht als Senkung gelesen werden kann, sondern eine Stauung verlangt, die drei fast gleichbetonte Silben nebeneinanderstellt und dafür die letzte Hebung unrealisiert läßt. Das Klangthema hat in der Stauung »hier auch« sein Ziel, es kommt zur Ruhe.

Starke integrierende Faktoren stehen in der zweiten Strophe neben dieser Stauung, der deutlichsten expressiven Störung des regelmäßigen Metrums. Die integrierenden Faktoren halten die Strophe zusammen, die ja zwei ganz verschiedene Aussagen enthält. Das Auge sinkt nieder auf den Seespiegel. Das lyrische Ich sieht nur sich selbst. Aber es reißt sich aus dieser Selbstbefangenheit. Der Umschlag ist durch die Stauung bezeichnet: »hier auch«. Der Selbstbefehl lautet also: übersetze die Intensität deines selbstbefangenen Gefühls, deiner »goldenen Träume«, in das, was hier vor dir ist. Unterstützend wirkt der männliche Reim des zweiten Reimpaares. Nicht, weil der männliche Reim wirklich männlich wäre, sondern weil er zurückverweist auf die Reime der ersten Strophe, die sämtlich männlich sind.

Die »Übersetzung« des selbstbefangenen Ich in die sprachliche Gestalt eines lyrischen Bildes liegt in der letzten Strophe vor uns. Auch der Charakter des Traumes, Bilder zu erzeugen, wird in Zucht genommen. Damit verschwindet der »falsche« Enthusiasmus. Diese Strophe ist eigentlich ein eigenes Gedicht, das die beiden vorangehenden Strophen in den Schatten stellt.

Die Trochäen werden beibehalten, aber um eine Hebung verkürzt. Auch herrschen jetzt weibliche Reime vor. Die dritte Strophe ist also weder eine Fortsetzung noch eine Wiederholung der ersten, nachdem das »Traummotiv« hinweggescheucht wurde. Auf diesen Gedanken kann man kommen, wenn man nur auf den Inhalt der Bilder achtet. Die ersten vier Zeilen sind zwar eine Neufassung der zweiten Halbstrophe der ersten. Aber Neufassung in dieser Gedichtsprache ist neue Beschwörung, keine einfache motivische Wiederkehr. Die »Welle« erscheint wieder (Vers 5 und 13), aber statt sie »unsern« Kahn wiegen zu lassen, wird der Eindruck des lichtbeglänzten bewegten Wassers selbst beschworen. Das »wieget« ist zu »schwebende Sterne« geworden. Damit ist die zweite Hebung von Vers 14 daktylisch. Es handelt sich aber nicht um die Senkungsfreiheit der Volksliedzeile, denn der Daktylos kehrt in jeder zweiten Zeile an derselben Stelle wieder. Vielmehr haben wir eine zweite formale Anspielung vor uns, nämlich auf gräzisierende, formstrenge deutsche Lyrik. Zwei der Zeilen mit Daktylos (z. B. »Tausend schwebende Sterne«) entsprechen genau der dritten Zeile jeder Strophe in Klopstocks Ode *Der Zürchersee*.[23] Die beiden anderen unterscheiden sich nur durch den stumpfen Ausgang (»Die beschattete Bucht«). Eine von Klopstocks Zeilen lautet übrigens: »Auf die silberne

Welle«. Goethe wollte höchstens ganz leise hindeutend auf Klopstocks Ode anspielen. Er dürfte das, was ihm vorschwebte und das im wesentlichen auch schon in der ersten roheren Fassung so dasteht, assoziiert haben mit einer Verbindung aus lebensvoller Natur und gemeisterter Form, verknüpft mit einem Anklang an edle Einfalt, stille Größe und bukolische Lebensfreude und so wie von selbst sich einem gräzisierenden Maß angenähert haben, für das eben Klopstock das Vorbild war. Aber es bleibt eine Anspielung wie der Volksballadenton der ersten Strophe.

Aus den Bergen, die »wolkig himmelan« der Reisegesellschaft begegnet waren (Vers 7), ist in der dritten Strophe ein anderer Vorgang mythischer Lebendigkeit geworden. »Weiche Nebel trinken / rings die türmende Ferne«. Der Naturvorgang spielt in sich, wird nicht mehr der Orientierung der Menschen im Kahn unterworfen. Die implizierte menschliche Reaktion ist ein Staunen, eine ganz leichte Entfremdung. So auch in den Versen 17 und 18, wo der Morgenwind mythische Lebendigkeit gewinnt. Von dem Blickpunkt der ersten Strophe ist es erstaunlich, daß der Wind in der »beschatteten Bucht« nicht dazu benutzt wird, den Ausdruck der Frische fortzusetzen, der dort auf das erlebende Ich bezogen war. Wind und Bucht gehören sich selber. Der Eindruck der Frische wird erst aus der Anpassung an die mythische Lebendigkeit der Landschaft gewonnen, er stammt nicht aus dem eigenen Enthusiasmus wie in der ersten Strophe, vielmehr ist ihm ein ganz leichter Schauder der Fremdheit beigemischt. Das Ich erzählte in den beiden ersten Strophen von sich selbst. Der Leser identifiziert sich bis zu einem gewissen Grade, weiß aber doch, daß hier ein bestimmtes Ich ihm gegenüber ist. Diese Distanz verschwindet in der letzten Strophe. Gerade die leichte Verfremdung gegenüber dem Vorhergehenden lockt zur Identifizierung.

Diese lockende Verfremdung entsteht auf dem Hintergrund der ersten Strophe, und so konstituieren sich die strukturellen Elemente Ich und Landschaft gegenseitig. Das Ich stellte sich im Anfang selbst dar. Solch eine Selbstdarstellung hat eine Tendenz zum Epischen in sich. Das enthusiastische Ich trennt sich in gewissem Grade vom Hörer, erlaubt keine volle Identifizierung. Das Landschaftsbild am Schluß erst ist im vollen Sinne lyrische Beschwörung. Aber diese Beschwörung nimmt sozusagen ihre Energie aus dem in den ersten Strophen vergegenwärtigten Ich, sie bezieht sich jedenfalls auf das Vorhergehende, nimmt von daher den Absprung in den Zauberkreis der lyrischen Beschwörung.

Dies kann man zeigen an dem Verhältnis des Schlußbildes zur zweiten Strophe. Während dort das Ich seinen Blick auf den Seespiegel senkte, bespiegelt sich jetzt die reifende Frucht, Zeichen der sich selbst besitzenden Landschaft, aber auch Zeichen der Reife überhaupt, der Meisterschaft. Das reife Gedicht, die Stufe der sprachlichen Kunst, die in der dritten Strophe erreicht ist, behält recht, auch wenn das Gedicht sich selbst bespiegelt, einfach und für sich da ist. Der Ausdruck dieses Für-sich-Seins wird unterstützt durch den unreinen Reim »umflügelt – bespiegelt«. »Bespiegelt« antwortet nämlich eher auf die langen i in der zweiten Strophe als auf sein Reimwort. Wir kennen denselben Effekt, der von der unmittelbaren Umgebung isoliert und mit Früherem integriert, zufälligerweise mit den gleichen Vokalen, schon aus dem Schluß von *Dämmrung senkte sich von oben* ...

Das Schlußbild ballt den Sinn zusammen, man könnte es fast Pointe nennen. Das ganze Gedicht erhält durch dieses Schlußbild seinen Wert. Aber dieser Wert realisiert sich erst auf dem Hintergrund des Vorhergehenden. Die in sich selige, sich selbst bespiegelnde Frucht erregt Freude, weil sie eine Möglichkeit unserer Welt ausdrückt, die von der Selbstbefangenheit befreit. Eben diese Freude ist die volle Identität von Sprecher und Hörer, das lyrische Ich.

Die letzte Strophe baut ja schon in ihrem einfachen semantischen Verständnis auf den vorigen auf. So verstehen wir die türmende Ferne nur, weil wir schon wissen, daß es Berge waren, die dem Boot der Freunde (»unserm Lauf«) begegneten. Ebenso wäre die sich selbst bespiegelnde Frucht nur ein Bild unter anderen Naturbildern, stünde sie nicht in Beziehung zu dem auf den Seespiegel niedergesunkenen Blick des Ich und zwar so, daß dieses Bild den Blick auf sich versammelt, ihm weder in goldne Träume, noch in nebelhafte Ferne zu gleiten erlaubt.

Das Bild der sich selbst bespiegelnden Frucht, der Zielpunkt des Gedichtes, erlaubt Vergleiche mit modernen lyrischen Themen. Auch auf dem Hintergrund eines »falschen« Enthusiasmus läßt Hofmannsthal einen jungen Mann ausrufen »Die Welt besitzt sich selber, o ich lerne« (*Der Jüngling und die Spinne*). Was in *Auf dem See* zur freudigen Identifikation lockt, ist in Hofmannsthals Gedicht freilich eine schmerzliche Erfahrung. Dennoch wird auch hier eine Identifikation gerade durch den Schauder der Fremdheit herbeigeführt. Die Identifikation des lyrischen Ich ist ja nicht Identifikation mit dem alltäglichen Ich, erst recht nicht mit banalen Wunschträumen.

In den gleichen motivischen Zusammenhang gehört die Grabschrift Rilkes von der Rose, deren Blütenblätter Lust haben, sie selbst und nichts anderes zu sein, obwohl ihre Form doch einlädt, sie mit menschlichen Augenlidern und damit dem Schlaf (und Tod) zu vergleichen, sie ins Menschliche einzubeziehen. Dennoch tut Rilke eben das, auch mit seiner Grabschrift, gegen den »reinen Widerspruch«.[24]

Auch an Rilkes Spiegelmotive wäre zu erinnern, die kulminieren in der Bezeichnung der Engel als »*Spiegel:* die die entströmte eigene Schönheit / wiederschöpfen zurück in das eigene Antlitz« in der zweiten Elegie. Rilkes Engel sind ein Ausdruck vollkommener artistischer Existenz, deren Vollkommenheit außermenschlich, also schrecklich ist. Sie sind die ins Übermenschliche fortgesetzte Mahnung des Archaischen Torso Apollos »Du mußt dein Leben ändern«, nämlich von der Selbstbefangenheit in den vollkommenen Ausdruck, eine Unmöglichkeit, mit deren Forderung Rilke sich peinigte.

Gelassen ist Mörikes Gedicht *Auf eine Lampe,* in dem das Kunstwerk von menschlicher Teilnahme oder ihrem Fehlen ebenso unberührt ist wie Rilkes Rosenblätter oder Hofmannsthals Spinne und ihre Beute. »Was aber schön ist, selig scheint es in ihm selbst«.

Die Verwandtschaft dieser beiden Motive: die der sich selbst gehörenden Natur und die des vollkommen in sich ruhenden Kunstwerkes, kommt aus der im Grunde religiösen Forderung, die in beiden enthalten ist, sich aus der Befangenheit in den Wünschen, Träumen und Stimmungen des eigenen Ich zu lösen. Wie die Natur, das heißt »wahr und seiend«,[25] und wie ein Kunstwerk zu werden, das heißt genau so »wahr und seiend« auszudrücken, was es ist, sich selbst bespiegeln, ohne daß das verwerflich genannt werden könnte, ist ein unmöglicher Wunsch, ein Griff nach dem Unerreichbaren, der aus dem Bewußtsein eigener Unsicherheit aufsteigen kann, aus dem Bewußtsein, daß die humanistische Selbstperfektion nicht eigentlich, sondern nur im ästhetischen Moment der lyrischen Beschwörung zu erreichen ist, aber fiktiv bleibt.

In Goethes Gedicht wird aus der Struktur deutlich, daß die sich selbst bespiegelnde Frucht das enthusiastische und selbstbefangene Ich übertrifft. In Rilkes Dichtung ist die Überwindung der Selbstbefangenheit durch den vollkommenen Ausdruck ein Thema, das sein ganzes reifes Werk durchzieht, und zwar in Form immer neuer Lehren, die von mönchischer Einsamkeit über das Immer-Arbeiten und die besitzlose Liebe bis zur Unterwerfung unter den Engel reichen, fast immer auf dem Grund des Ausdrucks der Klage über menschliche Schwäche und so verbunden mit dem anderen großen Motiv seines Werkes, dem Begreifen-Wollen des Todes.

Dieser Exkurs in die deutsche Literaturgeschichte lehrt, daß wenigstens innerhalb einer zusammenhängenden Periode die Möglichkeit gegenseitiger Erhellung besteht. Goethes Gedichte verstehen wir besser, weil wir von der Romantik über Mörike bis zu Rilke und darüber hinaus den merkwürdigen Zusammenhang einer Transposition von heimatlos gewordenen religiösen Antrieben auf ein unerreichbares ästhetisches Vorbild »wahren Seins« sich entfalten sehen. Immer bewußter werden die Bilder, die diesen Zusammenhang ausdrücken, im Gedicht selbst gedeutet. Die Entdeckung, daß eines der bekanntesten Gedichte Goethes in den Motivkreis gehört, in dem auch die Elegien Rilkes zu Hause sind, führt zu einer Legitimierung dieses Werkes. Es ist mehr als eine Darstellung der eigensten Probleme Rilkes, obwohl zweifellos auch dies. Vielmehr gehören die Elegien in den motivischen Traditionszusammenhang der ästhetischen Selbsterlösung, dessen freilich bedenkliche Größe wir als Ganzes besser in den Griff bekommen werden (vorausgesetzt freilich, daß wir kritischen Abstand von den religiösen Antrieben gewonnen haben und auch keine »Deutung des Daseins« in der Dichtung erwarten).

Noch ein zweiter literarhistorischer Exkurs bietet sich an. Nimmt man die dritte Strophe des Gedichtes *Auf dem See* als selbständiges Kunstwerk, so kommt dies einem Dinggedicht [26] sehr nahe. Denn die Landschaft ist hier unter Ausschaltung des lyrischen Ich ebenso ins Wort gebracht wie Conrad Ferdinand Meyers berühmter römischer Brunnen, wie Rilkes Version davon, *Römische Fontäne* genannt, oder auch sein mit Recht berühmtes *Der Panther*. Mörikes Gedicht *Auf eine Lampe* und Rilkes *Archaischer Torso Apollos* sind auch Dinggedichte, obwohl in beiden das lyrische Ich anwesend ist. Mörike spricht die Lampe an, Rilkes archaischer Apollo mahnt das lyrische Ich.

Aus der Struktur von *Auf dem See* können wir den Verdacht entwickeln, daß das lyrische Ich auch in den Dinggedichten als im Hintergrund anwesend gedacht werden muß. Mörikes *Auf eine Lampe* wie auch Rilkes *Archaischer Torso Apollos* mit ihren Anreden wären dann keine Ausnahmen, sondern sie erleichterten nur die Erkenntnis der Struktur. Schon der eben entwickelte Zusammenhang zwischen dem Motiv der sich selbst besitzenden Natur und dem sich spiegelnden vollkommenen Kunstwerk hat diese Struktur deutlich gemacht. Sie ist mitbestimmt durch das ausgeschlossene oder nur angedeutete lyrische Ich.

Das Kunstwerk, Mörikes Lampe, scheint selig in ihm selbst, gerade weil es zweifelhaft ist, ob jemand außer dem lyrischen Ich es beachtet. Seine Seligkeit braucht den Hintergrund der Mißachtung und die dadurch hervorgerufene Ausnahmesituation des lyrischen Ich. Die Bewegung des Wassers in Meyers Brunnen wird in der letzten Zeile pointiert zusammengefaßt: »Und strömt und ruht«, eine Unmöglichkeit für den zeitverfallenen, »schwindenden« Menschen, wie ja auch das zugleich Geben und Nehmen, das die Brunnenschalen zeigen, dem an eine Rolle gebundenen Menschen unmöglich ist. In Rilkes Version der lyrischen Gestaltung des borghesischen Brunnens ist es das ganz in sich beruhende, ungestörte Verhältnis der beiden Schalen und des unteren Beckens zueinander; letzteres wird »Spiegel« genannt.[27]

Die lyrische Beschwörung zielt auf das sich selbst genügende Ding, häufig ein Kunstwerk, aber auch ein Tier, dessen Anderssein, ohne menschliche »Welt« einen Augenblick lang greifbar wird, aber eben nur als Anderssein greifbar werden kann. So ist es auch in *Die Flamingos*, raffinierter noch als in *Der Panther*. Ähnlich verrät das »atemlose, blinde Spiel«, das am Ende von Rilkes *Das Karussell* genannt wird, wie das ganze Gedicht strukturiert ist durch das Draußenstehen des lyrischen Ich, das fast neidvoll das Ziellose, das selige Lächeln, »das blendet und verschwendet«, im beschwörenden Wort festhält. Sehr häufig finden wir das strukturelle Verhältnis erst am Schluß geklärt.

Spiel, Tier und Kunstwerk erhalten ihren Charakter auf dem Hintergrund der menschlichen Unsicherheit, dem »Schwinden«, wie Rilkes Elegien es nennen. Und so ist es kein Zufall, daß gerade Mörike, Meyer und Rilke Meister des Dinggedichtes sind, denn ihre Gedichte entstehen auf dem Hintergrund einer teils persönlich empfundenen, teils ins Überpersönliche projizierten, teils auch geistesgeschichtlich faßbaren Unsicherheit. Dieser Hintergrund der Entstehungsgeschichte wird im Gedicht selbst ausgelöscht, und das ist gerade sein Reiz: wie sich für Autor und Leser, das lyrische Ich also, aus der verwirrenden Vielfalt einer ungedeuteten Welt eine Gestalt heraushebt, die das lyrische Ich in ihrer Andersartigkeit beschwört.[28] Wir werden darauf in der Interpretation von Rilkes Flamingo-Gedicht zurückkommen. (Kapitel VI) Die Möglichkeit des Dinggedichtes, etwas selig in sich selber Spielendes zu zeigen, ist offenbar in der gegenwärtig vielgeübten Mode des verrätselten Gedichtes auf die Spitze getrieben worden. Die orientierende Funktion des lyrischen Ich fällt fort. Auf diese Tendenz werden wir ebenfalls noch zurückkommen.

Die erwähnte Unsicherheit findet sich ja auch im biographischen Hintergrund von Goethes *Auf dem See*. Goethe hat das Gedicht in *Dichtung und Wahrheit* in seiner Erzählung von der Schweizer Reise vollständig zitiert, übrigens nicht in der Tagebuchfassung, sondern in der endgültigen, obwohl er wenig später Tagebuchverse zitiert, die sich auf einen Rückblick von einer Höhe auf den Zürichsee beziehen, also auf eine ähnliche Situation, wie unser Gedicht sie gestaltet.

Wenn ich, liebe Lili, dich nicht liebte,
Welche Wonne gäb' mir dieser Blick!
Und doch, wenn ich, Lili, dich nicht liebte,
Wär', was wär' mein Glück?

In allen Gedichtausgaben Goethes folgen diese Verse (der letzte Vers verändert, ohne Sinnstörung) auf das Gedicht *Auf dem See,* auch im Reisetagebuch stehen der Vorläufer von *Auf dem See* und diese Verse hintereinander. Es ist also so evident wie nur möglich und nicht nur Konvention der älteren, biographisch orientierten Goetheforschung, daß *Auf dem See* etwas mit Goethes Beziehungen zu Lili Schönemann zu tun hat und daß Goethe Wert darauf legte, diesen Zusammenhang erkennen zu lassen. Das lange Zeit übliche Verständnis des Gedichtes *Auf dem See* als Ausdruck des Lilierlebnisses ist also wohlbegründet.[29]

Ebenso klar ist freilich, daß jede biographische Interpretation zu kurz greift, wenn sie an ein strukturiertes Gedicht gewendet wird wie *Auf dem See.* Die Verse »Wenn ich, liebe Lili, ... « freilich bleiben im autobiographischen Bereich.

Das Verhältnis zwischen biographischer Kenntnis und Interpretation eines gestalteten Gedichtes ist das wechselseitiger Erhellung. Da wir wissen, daß die »goldnen Träume« in *Auf dem See* Lili gelten, haben wir eine Bestätigung dafür, daß die Geste des gesenkten Blickes eine Abwendung von der »freien Welt« in den privaten Bereich bedeutet. Außerdem erleichtert die Kenntnis der Geographie des Zürichsees das Verständnis. Größer ist wohl der Beitrag, den das Gedicht zur Goethebiographie leisten kann. Freilich ist hier größte methodische Vorsicht anzuraten. Ein sprachliches Kunstwerk ist viel öfter Ausdruck einer Möglichkeit des Erlebens als der eines wirklich stattgefundenen Erlebnisses. Schon durch die sprachliche Gestaltung des Erlebten, durch die Heraushebung eines Ganzen mit Anfang und Ende aus der verwirrenden Vielfalt dessen, was dem Menschen begegnet oder begegnen kann, ist ja eine entscheidende Veränderung vorgegangen, die es verbietet, im Kunstwerk Dargestelltes direkt mit der Biographie zu verbinden. Wir können so eine Verbindung nur auf der Grundlage einer genauen Interpretation herstellen.

Dabei müssen wir in unserem Falle von der klaren Dreiteilung des Gedichtes *Auf dem See* ausgehen. Erlebnisweisen werden nur in den ersten beiden Strophen gespiegelt. Das Ich wirft sich mit einem Enthusiasmus in das Naturerlebnis, der einen gewaltsamen, fast falschen Klang hat, jedenfalls Unsicherheit verrät. Die zweite Strophe deutet darauf hin, daß ein Rückfall in Selbstbefangenheit möglich war, die von einer energischen Geste verscheucht wird. In der dritten Strophe ist weder das enthusiastische noch das in seinen eigenen Träumen befangene Ich vorhanden, es wirkt nur aus dem Hintergrund als Orientierung. Im Vordergrund steht die aus Worten gestaltete Landschaft. Man kann die drei Strophen auf zwei Teile aufteilen: in Strophe eins und zwei steht das Ich im Mittelpunkt, in Strophe drei das Kunstwerk. Die Achse bilden die Verse elf und zwölf, die zweite Hälfte der zweiten Strophe: das Verscheuchen des Traumes.

Das enthusiastische Naturgefühl der ersten Strophe steht biographisch im Zusammenhang mit dem Gefühl der Unsicherheit, das durch die Frage hervorgerufen wurde, ob Goethe Lili heiraten solle oder nicht, ob er sich also der Verantwortung, den Pflichten, aber auch der Enge einer bürgerlichen Existenz aussetzen solle. Der Enthusiasmus für die »freie Welt« könnte sehr wohl aus dieser Unsicherheit stammen. Denn dieser Naturenthusiasmus ist zweideutig. Zugleich wird die Natur als eigentliche Mutter empfunden, ein Verhältnis, das in der Tagebuchfassung noch stärker betont war.[30] Genug Mutterbilder sind aber in die endgültige Fassung übergegangen, um sich gegen das in dieser Fassung erst herausgehobene Motiv der Freiheit und Frische behaupten zu können. In der Natur wird also zugleich freie Welt wie Mutterbindung gesucht, Freiheit und Sicherheit. Dieser Gegensatz wird in der zweiten Strophenhälfte in Bildern wiederaufgenommen, Bildern allerdings, die an der Gesellschaft der Freunde orientiert sind: Die Welle wiegt mütterlich »unsern Kahn«, während zugleich unerreichbare Berge der Gesellschaft begegnen. Aus der Zweideutigkeit sinkt das Ich in die Selbstbefangenheit des Liebestraumes. Die Liebe ist nur um den Preis der Verengung zu erfüllen.

Aber die dritte Strophe ist ein vollkommenes Gedicht, das die Motive der ersten Strophe aufnimmt und sie verwandelt. Wasser und Berge ordnen sich in ein Landschaftsbild aus Versen. Aus Frische und Freiheit wird der mythisch verlebendigte Wind, aber das Bild läuft aus in ein Zeichen der Selbstgenügsamkeit der Natur, ein Zeichen, das auch auf die Selbstgenügsamkeit des Kunstwerkes deutet.

Was soll die dritte Strophe im Zusammenhang der biographischen Interpretation? Sie ist offenbar ein Fremdkörper. Aber Struktur und klangliche wie semantische Bindungen hindern uns daran, sie so anzusehen.

Die Lösung kann nur sein, daß gerade der selbstgenügsame Kunstwerkscharakter der Selbstbefangenheit im Liebestraum entgegenstehen soll. Die Mutterbindung an die Natur, die zugleich Freiheit verlangt, hat etwas Enthusiastisches und Phantastisches. Das Kunstwerk dagegen erfüllt das Verlangen nach Freiheit und Bindung, nach Weltöffnung und sinnvoller Geschlossenheit als gestaltete Natur. Dies, Kunstwerke zu schaffen, war Goethes Beruf, nicht die Enge einer Frankfurter bürgerlichen Existenz. Das unvermittelte Einsetzen des neuen Versmaßes und der rhythmisch veränderten dritten Strophe, die Erhebung auf die Ebene des gestalteten Kunstwerkes, also das Verlassen der biographischen Bezüge, bei allerdings starker Rückbindung an Motiv und Klänge der ersten beiden Strophen läßt sich als Indikation für Goethes Situation zur Zeit der Entstehung des Gedichtes benutzen: das Kunstwerk nutzt die warme, enthusiastische Menschlichkeit aus und verwandelt sie. Das Gedicht präsentiert die Wahl zwischen warmer, aber enger menschlicher Existenz und einem Leben für das selbstgenügsame, ungeheuer reizende, aber gegenüber warmer Menschlichkeit doch kühle Kunstwerk. Es war die gleiche Wahl, die Kafka lange quälte und die Thomas Mann als Thema in seiner fiktiven Welt so lange beschäftigte. Kafka liebte wohl deswegen den *Tonio Kröger*.[31] Vermutlich hat Goethe das ganze Gedicht in *Dichtung und Wahrheit* zitiert, um eine solche Aporie anzudeuten; die zweite Fassung wohl, weil er in ihr den persönlichen Antrieb besser verwirklicht glaubte.

Kenntnis des biographischen Hintergrunds sichert in einem gewissen Grade vor Mißverständnissen, er kann das Verständnis fördern, aber nur dann, wenn die Interpretation an sich auch auf eigenen Füßen stehen könnte. Ist dies nicht der Fall, hängt das Verständnis zu sehr von biographischen Momenten ab, so ist das entweder ein Fehler der Interpretation oder des Gedichtes, das ungenügend aus dem privaten Bereich herausgehoben sein kann. *Auf dem See* kann sicher vom Privaten unabhängig verstanden werden.

III

In beiden Goethegedichten gibt es zwei Strukturelemente, das lyrische Ich und eine Landschaft, die eine gewisse Affinität zur mythischen Lebendigkeit hatte. In beiden Gedichten spielte der Schluß eine besondere Rolle. Das Verhältnis zwischen den Strukturelementen wird erst durch ihn voll sichtbar. Vom Ende aus muß man noch einmal zum Anfang zurück, um das Gedicht völlig zu verstehen. Gewisse Ähnlichkeiten mit dieser Struktur finden wir in sehr alten Gedichten in deutscher Sprache. Zunächst in den beiden *Merseburger Zaubersprüchen* und in Anklängen auch in Segensformeln, die ihnen verwandt sind. Wir verstehen weder die mythischen Zusammenhänge noch alle Wörter völlig. Wir wissen nicht einmal, ob wir uns ihre Herkunft aus dem germanischen Bereich, aus indogermanischen Urzeiten oder aus dem mittelmeerischen, letztlich orientalischen Bereich denken müssen.[32] Ob indische Parallelen zu unseren Zaubersprüchen auf indoeuropäischer Urverwandtschaft oder auf Motivwanderung beruhen, bleibt unklar. Wie dem auch sei, die *Merseburger Zaubersprüche* stehen in deutscher Sprache einer Zeit am nächsten, in der magische Beschwörung durch Sprache wohl noch an der Stelle ästhetischer Lyrik stand. Die Verhältnisse in diesen Zeiten mit mündlicher Überlieferung sind uns zwar kaum bekannt, und wir müssen uns immer noch hüten, uns von den Lieblingsvorstellungen der Romantik täuschen zu lassen. Dennoch fiele es mir schwer, von dem Gedanken zu lassen, die beschwörende Kraft lyrischer Gedichte mit magischen Beschwörungsformeln in Verbindung zu bringen. Rhythmisierte Sprache, Klang- und Wortwiederholungen sind Mittel, die auch heute noch mit magischer Absicht verwendet werden können, auch Metrum und Reim. Diese Mittel sind die des ästhetischen Gedichtes, und die Identität von Autor und Leser oder Publikum im lyrischen Ich ist letztlich kaum etwas anderes als Magie.

In beiden *Merseburger Zaubersprüchen* ist eine mythische Erzählung mit der eigentlichen Beschwörung verbunden. Im zweiten treten Götter auf, und ein Götterpferd verrenkt sich den Fuß. Nachdem zwei Göttinnen den Schaden vergeblich besprochen haben, übernimmt Wotan die magische Behandlung, und zwar mit dem Zauberspruch, der jetzt gesprochen wird und den Erfolg herbeizwingt.

Phol ende Uodan   vuorun zi holza.
du uuart demo Balderes volon   sin vuoz birenkit.
    thu biguol en Sinthgunt,   Sunna era suister;
    thu biguol en Friia,   Volla era suister;
5   thu biguol en Uodan,   so he uuola conda:

    sose benrenki, sose bluotrenki,
    sose lidirenki:
    ben zi bena,   bluot zi bluoda,
    lid zi geliden,   sose gelimida sin!

Der Beschwörende führt die Identität mit dem richtigen, dem zauberkundigen Gotte herbei. Wir können nicht von einer Trennung zwischen lyrischem Spruch und epischer Einleitung sprechen, sondern beide Teile des Zauberspruches sind strukturell verbunden. Zwar deutet der Gebrauch des Präteritums und die stabende Langzeile auf das Epos, aber erst durch die aktive Beschwörung am Schluß gewinnt der Magier das Recht, sich in die Götterhandlung einzufügen, erst durch die Götterhandlung wird der Zauber möglich, realisierbar, um nicht zu sagen legitimiert. Der eigentliche Zauberspruch ist durch kürzere Zeilen, eindringliche Wiederholung ähnlicher und gleicher Wörter und einige Endreime charakterisiert, aber beide Teile haben den Stabreim, und die dreimalige Wiederholung von »thu biguol en« (da besprach ihn) hatte schon besonders intensiv auf die eigentliche Beschwörung eingestimmt, auf die Notwendigkeit des Gelingens im wiederholten Versuch. Schließlich tut der ganze mythische Bericht nichts anderes, als die Situation der eigentlichen Zauberhandlung zu orientieren. Einerseits durch das »volon« (Pferd), dem »sin fuoz birenkit« ist, andererseits, indem diese alltägliche Situation auf die mythische Ebene verlegt und damit erst »richtig« orientiert wird. Das Ganze wird natürlich durch die Zauberhandlung selbst zusammengehalten, die den zauberkundigen Magier und, wie man annehmen kann, den Besitzer des verletzten Pferdes vereinigt. Beide (oder eine Gruppe von Beteiligten) stehen strukturell an der Stelle des lyrischen Ich in den betrachteten Goethegedichten. Da das lyrische Ich den Autor, oder die jeweilige Rolle des Autors, und den Leser einschließt, ist es kein Produkt des Individualismus und daher von der Situation des Zauberspruchs nicht allzuweit entfernt.

So dürfte deutlich geworden sein, daß strukturelle Verwandtschaft besteht zwischen diesem Zauberspruch und den Goethegedichten. Der erste, kürzere der *Merseburger Zaubersprüche* kann sie bestätigen.

Auch hier gibt es eine mythische Situation und eine diesmal nur zwei Halbzeilen lange Beschwörung. Ein Gefangener soll die Kraft gewinnen, sich zu befreien. »Idisi«, wohl walkürenartige Göttinnen des Schlachtfeldes, haben willkürlich das Kriegsglück gelenkt und dabei auch Fesseln gelöst. Offenbar soll ein ähnliches Glück jetzt herbeigezwungen werden. Mythischer Teil und Beschwörung hängen rhythmisch im ersten Spruch noch enger zusammen. Für den modernen Leser überraschend expressiv ist der jähe Übergang von der mit »eiris« (einst) eingeleiteten, im Präteritum stehenden Erzählung zu der imperativischen Beschwörung: »insprinc haptbandum, invar vigandum« (entspring den Haftbanden, entfahr den Feinden).[33]

Die gegenseitige Konstituierung zweier struktureller Elemente auf der Basis des lyrischen Ich kann auch sehr gut beobachtet werden in einem der bekanntesten der deutschen Gedichte aus der Zeit, die man mit romantischer Intention Minnesangs Frühling zu nennen pflegt, dem sogenannten *Falkenlied* des Kürenbergers. Das Gedicht ist sehr lange als mittelalterliches Erlebnisgedicht verstanden worden, indem man den Falken als übersetzbares Symbol begriff. Wir danken Max Ittenbach eine Korrektur dieser Auffassung.[34] Es ist von einem Falken die Rede, der gezähmt und geschmückt hoch auffliegt. Die Schlußzeile spricht den Wunsch nach Zusammenführung der Liebenden aus. Das ausgeführte Bild des fliegenden Falken und der Wunsch am Ende dürfen erst dann zusammengebracht werden, wenn das Bild in seiner Eigentümlichkeit aufgefaßt wird, das heißt, der Falke darf mit der Liebe oder dem Geliebten erst gleichgesetzt werden, nachdem der Leser ohne vorgreifende Deutung (Symbolübersetzung) das schöne Fliegen des Falken in der sprachlichen Gestaltung des Gedichtes auf sich hat wirken lassen.

> Ich zôch mir einen valken   mêre danne ein jâr.
> dô ich in gezamete   als ich in wolte hân
> und ich im sîn gevidere   mit golde wol bewant,
> er huop sich ûf vil hôhe   und floug in anderiu lant.
>
> 5 »Sît sach ich den valken   schône fliegen:
> er fuorte an sînem fuoze   sîdîne riemen,
> und was im sîn gevidere   alrôt guldîn.
> got sende di zesamene   die geliep wellen gerne sîn!«

Wenn wir die Strophen als Wechsel auffassen, wäre die zweite Strophe die Frauenstrophe. Das lyrische Ich ist dann zwischen den Rollen von Mann und Frau, Geliebtem und Geliebter, geteilt, und der Falke wäre kein Symbol des Geliebten, sondern der Falke des Mannes, von dem er erzählt.[35] Die Frau hat den Falken auch gesehen, sie nimmt die Worte des Geliebten auf, übersteigert sie und endet überraschend mit dem Gebetswunsch. Der Wunsch des Mannes, den Falken wiederzugewinnen, fließt ein in den Wunsch der Frau, Gott möge sie, wie alle, die gern geliebt sein wollen, mit dem Geliebten vereinen. Der Wunsch gewinnt Relief vor dem Hintergrund von Freiheit und Zähmung, von Schönheit und Wildheit, den die Erzählung von dem hochfliegenden, gezähmten und geschmückten Falken geliefert hatte. Die Wildheit der Liebe, die sich gegen Konventionen und Widerstände auflehnt, ist ja auch sonst Thema der Kürenberger-Strophen.

Faßt man die Strophen traditioneller auf, als nur von der Frau gesprochen, dann ändert sich eigenartigerweise nicht viel. Der Falke ist immer noch das Zeichen für den freien, ungezähmten Rest in der Menschlichkeit, für die Schönheit, die sich aus der Schmückung erst in der Freiheit entfaltet. Das Zeichen kann jetzt enger auf den Geliebten bezogen werden. Das lyrische Ich hat dann eine andere Gestalt, aber ob es Frauenrolle und Leser oder Mann, Frau und Leser vereinigt, ändert überraschend wenig an der Struktur. Die strukturelle Funktion des lyrischen Ich ist die Vereinigung der beiden Teile: des Falkenbildes und des Gebetswunsches. Dies geschieht in beiden Fällen; ob die strukturelle Funktion so oder so ausgeübt wird, ändert die Nuancen, ändert die Sicht des Lesers oder Hörers, also die Art, wie er die vom lyrischen Ich vorgeschriebene Rolle mitspielt. Sie ändert aber wenig an der Weise, wie der Schlußvers und das Falkenbild sich gegenseitig konstituieren.

Der Schlußvers enthält eine Spannung. Die gerne geliebt sein wollen, finden sich offenbar nicht von selber, der Anruf Gottes ist ein Ausdruck menschlicher Unzulänglichkeit. Es muß eine Macht eingreifen und zusammensenden, was doch eigentlich zusammenwill. Die bewußt gemachte Spannung erhellt rückblickend das Falkenbild: Was gezähmt und geschmückt ist, entfaltet seine Schönheit erst in der Freiheit. Liebe ist ein Wunder aus verzierter Zähmung und ausbrechender Wildheit.

Das Gedicht ist ein Musterbeispiel für die Integration durch Klänge und Wortwiederholungen. Es genügt hier auf die f-Alliterationen, auf die Wiederholungen von »valken«, »floug — fliegen«, »golde — guldîn« hinzuweisen. Die Ähnlichkeit der Reimvokale innerhalb der Strophen (lang-a, kurz-a in der ersten, ie-klingend und lang-i in der zweiten) geben den beiden Strophen eine gewisse Selbständigkeit und wirken der Integration durch den Wortschatz des Falkenbildes leicht entgegen.

Das letzte Reimpaar auf lang-i bindet die Verse 7 und 8 besonders zusammen, den Höhepunkt der Beschwörung des Falken (der Ausdruck »alrôt guldîn« ist übersteigert) mit der überraschenden, aber klärenden Schlußzeile.

IV

Ein modernes Gedicht, dessen Struktur aus zwei Elementen besteht, die sich gegenseitig konstituieren, ist Gottfried Benns:[36]

Einsamer nie —

Einsamer nie als im August:
Erfüllungsstunde – im Gelände
die roten und die goldenen Brände,
doch wo ist deiner Gärten Lust?

5   Die Seen hell, die Himmel weich,
die Äcker rein und glänzen leise,
doch wo sind Sieg und Siegsbeweise
aus dem von dir vertretenen Reich?

Wo alles sich durch Glück beweist
10   und tauscht den Blick und tauscht die Ringe
im Weingeruch, im Rausch der Dinge –:
dienst du dem Gegenglück, dem Geist.

Die zwei Elemente sind das Ich und ein ihm Gegenüberstehendes, eine »Gegenwelt«, Landschaft und menschliche Umwelt. Der letzte Vers enthält wie in den Kürenberger-Strophen eine zusammenfassende Feststellung, die beide Strukturelemente aufeinander bezieht. Das Ich ist hier freilich stärker aktiviert, es ist nicht nur Orientierung, sondern Thema, wie in den beiden ersten Strophen von *Auf dem See* und, in anderer Weise, auch in *Dämmrung senkte sich von oben*. Freilich ist dieses Thema anders akzentuiert, denn das Ich stellt sich allem übrigen, der Landschaft und der glückverhafteten menschlichen Gesellschaft bewußt gegenüber.[37]

Diese Gegenüberstellung bestimmt die Zeichenfunktion der Landschaft. Die erste Zeile enthält den Gegensatz des einsamen geistigen Ichs gegenüber einer erfüllten Natur. Aber dieser Gegensatz konstituiert sich erst durch das Gedicht, durch das Wort »Erfüllungsstunde« und durch die letzte Zeile. »Im August« soll als »Erfüllungsstunde« gelten, als Lust, Sieg (des Sommers)[38] und Glück der Menschen, deren natürliches Liebebedürfnis sich im Einklang mit der Landschaft am »Glück« orientiert, mag das auch nur ein »Rausch« sein. Das einsame

Ich dient dagegen einem »Gegenglück«, das »Geist« genannt wird. Gemeint ist offenbar Abwesenheit der Naivität, die zum Genuß des »Rausches der Dinge« nötig ist. Im Hintergrund steht Nietzsches Unterscheidung des Dionysischen und Apollinischen, auf die durch »Weingeruch« und »Rausch der Dinge« hingewiesen wird. Das naturhafte Glück dürfte also wohl nicht nur als kleinbürgerliches zu verstehen sein. Freilich ist das Dionysische hier nicht realisiert, sondern bleibt ebenso im Hintergrund wie das Apollinische.[39] Die Trennung des Ich von der glückhaften Umwelt wird durch die beiden Fragen in Vers 4 und 8 im Bewußtsein des lyrischen Ichs gehalten. Denn das »deiner« bezieht den Leser ein, weil er dieses Gedicht nur verstehen kann, wenn er sich bewußt verhält, sich von dem Gedicht zur Einsamkeit des Gegenglücks momentweise überreden läßt.

Freilich regen sich Zweifel. Das Ich ist in so pathetischer Weise als einsames betont, als eines, dem der Beweis durch Glück nichts gilt, das sich auch im menschlichen Miteinanderleben, im Spiel der Liebe und im Rausch der Dinge, distanziert findet, daß die kommunikative Funktion des lyrischen Ich gestört werden müßte. Verweist das Gedicht den Leser nicht in den Bereich des »alles«, das sich durch Glück beweist? Muß die Struktur nicht der offenen »Aussage« des Gedichtes entsprechen?

Aber der Leser wird gespürt haben, daß die Aussage ihn nicht eigentlich abweist. Schon deshalb nicht, weil das Gedicht einfach zu verstehen, nicht verrätselt ist. Das Einsamkeitspathos gibt dem Leser viel eher das erhebende Gefühl, an einer Ausnahmesituation teilzunehmen. Der Grund der Unsicherheit über die Funktion des lyrischen Ich liegt, mindestens zum Teil, in dem fast belehrenden Charakter des Gedichtes. Es gibt sich zwar als Gespräch des Rollen-Ich mit sich selber (die Rolle ist das Einsamkeitspathos), aber die Begriffe »Erfüllungsstunde« und »Gegenglück« sind deutliche, überdies abstrakte Erläuterungen der Situation, die das einsame Ich nicht brauchte, aber wohl der Leser. Wird der Leser belehrt, so ist seine Teilnahme nicht mehr voll die der Identität, er ordnet sich unter. Aber das bleibt immer noch eine Form der Kommunikation. Ich werde eine ähnliche Störung des Identitätsbedürfnisses beim Leser unten an Matthias Claudius' *Abendlied* erläutern.

Das Ich, das in Benns Gedicht spricht, fällt überdies nicht ausdrücklich in die belehrende Rolle. Vielmehr redet es sich selber in der zweiten Person an, was den Leser eher noch stärker zur Identifikation einlädt als der Gebrauch der ersten Person. Ein sehr deutliches Beispiel dafür ist die Schlußzeile »ruhest du auch« in Goethes *Wanderers Nachtlied II*.

Wir haben also tatsächlich eine nur leicht und andeutungsweise gestörte Struktur vor uns. Das lyrische Ich konstituiert sich, indem es sich von einer Gegenwelt absetzt. Die Gegenüberstellung ist beim näheren Hinsehen freilich nicht so eindeutig. Denn die Gegenwelt ist außerordentlich reizend. Momentweise wird die Landschaft beschworen wie in einem Goethegedicht. Sieht man das Gedicht aus diesem Gesichtswinkel, dann erscheint das Einsamkeitspathos wie eine Entschuldigung, um die Äcker glänzen und die farbigen Blumen brennen zu lassen. Und dies ist sicher ein besonderer, verborgener Reiz. Man kann sagen, daß das Gedicht die Distanzierung als ambivalent enthüllt. Gegen die belehrende Aussage vom »Gegenglück« nimmt der sich Distanzierende, gewissermaßen verbotenerweise, an der Erfüllungsstunde teil. Gerade in diesen Reiz wird der Leser hineingezogen, wenn er einerseits am »Geist«, am »Gegenglück«, an der Ausnahmesituation teilnehmen will, sich jedoch andererseits willig von dem Landschaftsreiz verzaubern läßt. Das Blicke- und Ringetauschen, von dem das lyrische Ich sich distanzieren will, wird strukturell dem Landschaftsbild gleichgestellt, es erscheint in der dritten Strophe an der Stelle, wo die Naturbilder in den beiden ersten Strophen erschienen waren, und das Wort »alles« in Vers 9 schließt Natur und menschliche Umwelt ein. Diese Einordnung der Distanzierungs-Aussage reduziert sie. Radikal will das Ich sich gar nicht distanzieren. Vielmehr darf es an dem Reiz teilnehmen, der darin liegt, das Glück zu haben, als hätte man es nicht.[40] Daß Benn eine solche Ambivalenz gemeint haben könnte, wäre selbst dann klar genug, wenn nicht feststünde, daß er selbst mehrmals die Ringe getauscht hat, also dem »Gegenglück« so ausschließlich nicht diente.

Die strukturellen Verhältnisse verraten, daß das Gedicht mit Traditionen unserer Lyrik spielt, sie aber gerade dadurch anerkennt. Wir erinnern uns daran, daß die mythisch belebte Landschaft in den Gedichten Goethes, die wir betrachteten, das lyrische Ich zur Resignation, zur Aufgabe seines enthusiastischen Wollens brachte. Die Landschaft war ein religiöses Zeichen. Im Falle Benns behauptet das Ich sich trotzig gegen die Landschaft, von der es sich im Einsamkeitspathos distanziert. Aber es tut es innerhalb der von Goethe gewohnten, aber noch weiter herkommenden Struktur, in der lyrisches Ich und Landschaft sich gegenseitig konstituieren. Diese Struktur wird nur leicht, durch abstrakt-belehrende Wörter gestört. Die Landschaft hat als Erfüllungsstunde ihren Reiz. Sie übt diesen Reiz aus, weil sie zur Bewunderung verlockt, immer bereit, das lyrische Ich in den religiösen Bereich der Hingabe zu ziehen. Der Ausdruck des Landschaftsreizes gelingt Benn sogar ohne mythische Belebung, weil er im Leser auf die Vorbereitung durch die Goethesche Tradition rechnen kann. Der Zauber der Landschaft reduziert das ihm entgegengesetzte Einsamkeitspathos so stark, daß es erträglich wird. Man kann sich leicht klarmachen, wie übermächtig das Einsamkeitspathos würde, wären die Landschaftszüge etwa karikiert gegeben. Mit anderen Worten: die Struktur reduziert heimlich die »offene« Aussage des Gedichtes, und darin liegt ihr Reiz.[41]

Diese Beobachtung wird unterstützt durch eine kurze Betrachtung der metrischen, rhythmischen und klanglichen Verhältnisse. Das Gedicht ist gereimt und zwar kehrt das Reimschema *a b b a* in jeder Strophe wieder. Alle Verse haben ein vierhebiges Metrum. Im Druck sehen die Verse etwa gleichlang aus. Unter den Vokalklängen haben ei (schon durch beide Reime in der zweiten und einen in der dritten Strophe, vor allem aber durch den allerersten und allerletzten Klang und noch zwei weitere: »rein« und »Wein«), lang- und kurz-i eine integrative Funktion, ein o-Thema findet sich in Vers 3 und 4, eindrucksvoll die Blumenfarben zusammenbindend mit dem Fragewort »wo«. Alle diese Vokalthemen binden beide strukturelle Hälften, Einsamkeitspathos und Landschaftsreiz (mit menschlicher Umwelt) zusammen, beispielsweise das lange i von »Sieg« und »Siegsbeweise« (Verknüpfung mit dem ei-Thema) und »dir« in Vers 7 und 8 und die oben erwähnte Bindung von »roten«, »goldenen« an »wo«. Die Regelmäßigkeit und Integration des Gedichtes wird jedoch gestört durch eine leichte metrische Unruhe und durch rhythmische Stauungen.

Die metrische Unruhe liegt an dem metrischen Unterschied zwischen dem ersten Vers – von dem wir die Anweisung erwarten, wie das Gedicht zu lesen ist – zum übrigen Gedicht. Bezeichnen wir Hebungen und Senkungen auf traditionelle Weise, so ist die Zeile zu lesen:

$$- \smile \smile - / - \smile \smile -$$

Eine leichte rhythmische Variante ist ein Nebenton auf jeder der beiden ersten Senkungen. Es handelt sich um die antike Versform des choriambischen Dimeter,[42] die Goethe in *Pandora* verwendete, als Epimetheus sich vergeblich bemüht, seiner Phantasie die verlorene Pandora hervorzurufen. Die Figur des Epimetheus spricht die Verse mit dem Bewußtsein der Vergeblichkeit dieses Versuches.[43] Man kann eine gewisse Verwandtschaft der Situation feststellen. Ob Benn diese freilich bewußt anwendete, bleibt fraglich. Daß aber ein Anklang an Klassisches beabsichtigt ist, halte ich für sicher.[44]

Die metrisch-rhythmische Gestalt des ersten Verses suggeriert das Thema der Entgegensetzung von »einsam« und »August«. Der Monatsname wird ja gleich darauf semantisch an »Erfüllungsstunde« und die so gedeuteten Landschaftsmotive geknüpft. Der zweite Vers ist metrisch dagegen jambisch, rhythmisch hat er zwei Hauptbetonungen, auf der ersten und der letzten Hebung. Das ist ein Anklang an die Parallelität des ersten Verses. Auch ein Schnitt ist da, im Druck durch den Gedankenstrich angedeutet. Die Tendenz der Zweigliedrigkeit zeigt sich auch in Vers 5; dort ist kein Gegensatz. Das jambische Metrum kommt besonders durch Vers 3 und 6 zur Geltung. Vers 3 hat freilich eine zweisilbige Senkung (»goldenen«). Diese und eine andere in Vers 8 erhält die Erinnerung an den klassischen Anklang des ersten Verses aufrecht, denn an die Volksliedzeile wird kaum jemand denken wollen. Der Zusammenstoß der zwei Hebungen im ersten Vers an der Stelle des Schnittes (»nie – als«), eine rhythmische Stauung, findet später ein Echo in Nebentönen, die Senkungen fast auf die Stufe von Hebungen bringen und so eine Stauung des sonst fließenden Rhythmus erzeugen. Diese Stellen sind am Beginn von Vers 4, »doch wo«, die Wiederholung in Vers 7, am Beginn auch des folgenden Verses »aus dem« und der Eckverse der dritten Strophe, 9 und 12: »wo alles« und »dienst du«. Es sind also sämtliche Verse gestaut, die das reflektierte Einsamkeitspathos zum Thema haben. Aber vergessen wir nicht, daß das jambische Metrum, von Vers 2 an durch alle rhythmischen Variationen herrschend bleibt.

Wir haben also ein Gedicht, das im Anfangsvers eine metrische Anspielung an einen klassischen, im Deutschen ungebräuchlichen Vers enthält, vielleicht auch eine Anspielung auf die Epimetheusgestalt in Goethes *Pandora*. Der Vers unterstrich die in der Struktur enthaltene Entgegensetzung. Das antike Metrum wird nicht beibehalten. Die Stauung des Schnittes wird am Anfang der reflektierenden Verse wiederholt, während zwei der Landschaftsverse (Vers 2, der auch das Deutungswort enthält, und Vers 5) Andeutungen von Schnitten ohne Stauung zeigen, allerdings nur als leichte Störung ihres jambischen Metrums. Zwei zweisilbige Senkungen tragen die Erinnerung an die klassische Anspielung weiter, da sie aber ganz unregelmäßig eingesetzt sind, wirken sie eher als leichte Störung des Metrums, das sich aber dennoch durchsetzt. Die integrativen Kräfte des Gedichtes überwiegen, sie löschen die Störungen freilich keineswegs aus.

V

Oben war von einer leichten Störung des Identitätsbedürfnisses des Lesers die Rede. Der Leser ist willig, sich verzaubern zu lassen, er will seinen Anteil am lyrischen Ich. Dieses Bedürfnis kann gestört werden, wenn eine belehrende Autorenrolle aus dem Gedicht hervortritt. Die Identität verwandelt sich dann in eine Unterordnung des Lesers unter den lehrenden Dichter, jedenfalls solange er sich nicht abwendet. Es gibt andere Störungen der Identität des lyrischen Ich: Provokation (auch eine Form der Kommunikation) und Verrätselung der Sprache.

Ein klassisches Beispiel für eine ganz bewußt ausgenutzte Störung des Identitätsbedürfnisses im Leser bietet Matthias Claudius' *Abendlied,* ein Gedicht, so berühmt, daß es sich lohnt, die Verkrustungen abzuschlagen, die es auf eine schöne heile Welt festlegen wollen.

Abendlied

Der Mond ist aufgegangen, (1)
Die goldnen Sternlein prangen
    Am Himmel hell und klar;
Der Wald steht schwarz und schweiget,
Und aus den Wiesen steiget
    Der weiße Nebel wunderbar.

Wie ist die Welt so stille, (2)
Und in der Dämmrung Hülle
    So traulich und so hold!
Als eine stille Kammer,
Wo ihr des Tages Jammer
    Verschlafen und vergessen sollt.

Seht ihr den Mond dort stehen? — (3)
Er ist nur halb zu sehen,
    Und ist doch rund und schön!
So sind wohl manche Sachen,
Die wir getrost belachen,
    Weil unsre Augen sie nicht sehn.

Wir stolze Menschenkinder (4)
Sind eitel arme Sünder
    Und wissen gar nicht viel;

Wir spinnen Luftgespinste
Und suchen viele Künste
  Und kommen weiter von dem Ziel.

Gott, laß uns *dein* Heil schauen,   (5)
Auf nichts Vergänglichs trauen,
  Nicht Eitelkeit uns freun!
Laß uns einfältig werden
Und vor dir hier auf Erden
  Wie Kinder fromm und fröhlich sein!

* * *

Wollst endlich sonder Grämen   (6)
Aus dieser Welt uns nehmen
  Durch einen sanften Tod!
Und, wenn du uns genommen,
Laß uns in Himmel kommen,
  Du unser Herr und unser Gott!

So legt euch denn, ihr Brüder,   (7)
In Gottes Namen nieder;
  Kalt ist der Abendhauch,
Verschon uns, Gott! Mit Strafen,
Und laß uns ruhig schlafen!
  Und unsern kranken Nachbar auch! [45]

Der Ruhm des Gedichtes beruht vor allem auf den beiden ersten Strophen, allenfalls auf der letzten.[46] Die Meinung des Gedichtes ist dies freilich nicht. Gewiß, das Naturbild der beiden ersten Strophen gehört zu den lyrischen Meisterwerken der Goethezeit. Offenbar genug sind die Alliterationen, der ruhige Wechsel der Vokale, die andeutende mythische Verlebendigung des schweigenden Waldes, vielleicht auch des steigenden Nebels. Der Wortschatz scheint vom »Himmel« über »wunderbar« zu dem »traulich und so hold« der zweiten Strophe zu führen und so das Bild einer schönen Harmonie zu geben, [47] die uns Heutigen ein wenig unwahr vorkommt, wenn auch historisch sanktioniert.

Sieht man etwas genauer hin, dann sind gerade die beiden Strophen, die dem heutigen Leser peinlich sind, das Zentrum des Gedichtes, nämlich Strophe 4 und 5. Diese Strophen enthalten eine Version des lutherischen Themas von der Sündigkeit, das heißt Gottabgewandtheit der menschlichen Existenz und der Vergeblichkeit unseres Tuns, wenn wir diesen Zustand ändern wollten. Die Gnade kommt von Gott, wird nicht erworben oder verdient, vielmehr kann sie durch »eitles« Vertrauen auf eine irdische Orientierung, auf etwas »Vergänglichs« verfehlt werden. Vor der Gnade Gottes ziemt nur »Einfältigkeit«, also doch wohl die Fähigkeit, eine irdische »Rolle« ablegen, auf erworbene Existenzsicherungen, seien sie gesellschaftlicher, philosophischer, wissenschaftlicher, praktischer Art, verzichten zu können. Diese Strophen stehen in der Tradition des lutherischen Kirchenliedes, man denke an Luthers Choralversion des 130. Psalmes »Aus tiefer Not schrei ich zu dir«: »Es ist doch unser Tun umsonst / auch in dem besten Leben« und: »Darum auf Gott will hoffen ich, / auf mein Verdienst nicht bauen ...« Auch in den schon sentimentalen und mit barocker Bildlichkeit versehenen Kirchenliedern Paul Gerhardts ist der lutherische Antrieb noch spürbar:

> Der Leib eilt nun zur Ruhe,
> legt ab das Kleid und Schuhe,
> das Bild der Sterblichkeit;
> die zieh ich aus, dagegen
> wird Christus mir anlegen
> den Rock der Ehr und Herrlichkeit.

Der vorhergehende Vers lautet:

> Der Tag ist nun vergangen,
> die güldnen Sternlein prangen [48]
> am blauen Himmelssaal;
> also werd ich auch stehen,
> wann mich wird heißen gehen
> mein Gott aus diesem Jammertal.

Wenigstens der Beginn der ersten Strophe klingt uns vertraut:

> Nun ruhen alle Wälder,
> Vieh, Menschen, Städt' und Felder,
> es schläft die ganze Welt;
> ihr aber meine Sinnen,
> auf, auf, ihr sollt beginnen,
> was eurem Schöpfer wohlgefällt.[49]

Der Aufforderung der drei letzten Zeilen folgte Claudius offenbar. Der zweite Vers der vorher zitierten Strophe zeigt, wenn es dieser

Erinnerung bedürfte, daß die Einpassung eines Textteiles aus der Tradition in einen neuen Text nichts der modernen Dichtung Eigentümliches ist. Diese Übung hat es seit der Antike immer gegeben, sie war nur zeitweise tabuiert durch die Ästhetik des Kreativen im Neuhumanismus. Der für Texteinpassungen gebrauchte Begriff »Montage« soll unsentimental, technisch und modern klingen und ist gerade deshalb als gefühlsbelastet und vage abzulehnen. Wer auf ihm besteht, müßte zugeben: auch Matthias Claudius hat montiert.

Aber das Paul-Gerhardt-Zitat in der ersten Strophe von Claudius' *Abendlied* bewiese nicht, daß die ersten beiden Strophen auf die geistlichen Strophen hin zugeordnet sind, das beweist vielmehr das Gedicht selber.

Die erste Strophe ruft einen schönen harmonischen Eindruck in uns hervor. Es sei aber der Verdacht ausgesprochen, daß dieser Eindruck ungebührlich durch unsere historische Perspektive verstärkt wird, die an Goethes Lyrik nicht vorbeisehen kann. Wir sind immer zu sehr geneigt, uns Goethes Lyrik als klassisch, harmonisch und naiv vorzustellen.[50] Schon in Claudius' erster Strophe unterliegt der Harmonie ein Gegensatz zwischen dem Himmel, wo die Adjektive »golden«, »hell«, und »klar« gelten, und der Erde, wo der schwarze Wald stumm bleibt, der Nebel emporsteigt und die Welt ins Wunderbare verwandelt. In Vers 3 muß »Himmel« den Hauptton erhalten, in Vers 5 ist die Hebung auf »aus« nicht voll zu realisieren. Darum wird »Wiesen« hervorgehoben, und ich würde diesem Wort den Hauptton geben. (Das ganze Gedicht zeigt übrigens rhythmisch die Neigung, einer Hebung den Hauptton zu geben. Diese Tendenz beginnt mit dem Wort »Mond« in Vers 1.) Zwischen »Himmel« und »Wiesen« besteht klanglich eine Beziehung, weil sie die einzigen i-Laute in der Strophe sind. Klanglich sind auch die Gegensatzpaare »schwarz« und »klar« verbunden, vielleicht auch (ebenfalls als Gegensatz, wenn auch nicht so eindeutiger Natur) »hell« und »Nebel«.

Wir finden also eine Ähnlichkeit dieser Strophe mit der ersten von Goethes *Dämmrung senkte sich von oben . . .* Hier wie dort gibt es sichere Orientierung nach oben an den Gestirnen, während unten eine Verwandlung der Welt stattfindet. Bei Claudius ist sie »wunderbar«, bei Goethe schwankt sie ins Ungewisse. Claudius' Version ist weit sanfter, eine Verwandlung aber auch.

Die zweite Strophe nimmt im ersten Vers das alliterierende w auf, das Vers 4—6 der zweiten Strophe, die Erd-Verse, beherrscht hatte. Es gilt für das ganze Gedicht, daß die Strophen ihre thematische Einheit haben, daß aber klangliche und semantische Beziehungen vom Strophenende der vorigen auf den Strophenanfang der folgenden übergreifen. Die ersten drei Verse der zweiten Strophe führen das Thema der abendlichen Verwandlung weiter. Unter der Hülle der Dämmerung erscheint die Welt traulich und hold. Sie ist es also nicht eigentlich, sondern nur jetzt, in ihrem verhüllten Zustand. Vers 4–6 führen den uneigentlichen Zustand der Welt weiter aus. Sie ist nicht mehr wie sonst offen, sondern »eine stille Kammer«. Aber zugleich wird deutlich, was die eigentliche Welt, die offene, ist: »des Tages Jammer«, der nicht beseitigt, sondern nur verschlafen und vergessen werden kann. Wir erinnern uns auch an Paul Gerhardts »Jammertal«, einen weitverbreiteten Topos natürlich.

Zugleich ist aber die Störung des Identitätsbewußtseins im lyrischen Ich eingetreten, von dem die Rede sein sollte. Bisher hatte das lyrische Ich als Gemeinsamkeit von Sprecher und Leser sich in dem von der Sprache beschworenen Naturbild gefunden. Beinahe heimlich tritt mit dem »ihr« in Vers 5 der zweiten Strophe der Sprecher aus der Identität heraus und vor die Hörer hin. Der Leser darf sich nun nur noch mit einer fiktiven Hörergemeinde identifizieren.

Der erste Vers der dritten Strophe nimmt das »ihr« auf und zugleich das Mond-Thema der ersten. Das Gestirn gerät in die Unsicherheit irdischer Dinge. Der Mond wird zum Predigtthema. Es ist an dieser Stelle besonders deutlich, daß der nun hervorgetretene Sprecher die Hörer gewinnen will. Der sprachliche Naturzauber hat die empfindsamen Herzen gewonnen, jetzt wendet sich der Sprecher mit einem astronomischen Faktum an den aufgeklärten Verstand. Denn das Gedicht wendet sich offensichtlich an das stolze Menschenkind (Strophe 4), das humanistisch an die Selbstperfektion glaubt. Die letzten beiden Verse der dritten Strophe führen »wir« und »unsere« ein. Nachdem der Sprecher sich als Prediger konstituiert hat, bezieht er sich wieder ein, denn er will ja von den Bedingungen des Menschseins vor der göttlichen Gnade reden. Das »wir« taucht in Strophe 3 an der gleichen Stelle auf, wo das »ihr« in Strophe 2 erschienen war, und es wird in der folgenden Strophe fast an derselben Stelle wieder aufgenommen.

Strophe 5 redet von Gott und seinem Heil, zwar immer noch unter dem Aspekt »uns« aber die Einbeziehung Gottes, die Gebetsanrede an ihn, ist doch eine neue strukturelle Wendung. Diese Perspektive wird hinübergeführt in Strophe 6, die Bitte um einen sanften Tod und Aufnahme in den Himmel. Diese Gebetswünsche sind in der Tat ein wenig allzu »einfältig«, aber sie erscheinen auf dem Grunde des Einverständnisses mit dem eigenen Tode, und diesen religiösen Untergrund wird man nicht primitiv nennen können. Ein besonderer Abschnitt, durch Sternchen angezeigt, findet sich in den Claudius-Ausgaben zwischen Strophe 5 und 6. Claudius wollte offenbar das »wie Kinder fromm und fröhlich sein« verklingen lassen, bevor er auf das Todesmotiv überging. Man kann daraus wohl eine weitere Indikation entnehmen, daß es ihm gerade auf die Strophe 5 (von der Strophe 4 nicht zu trennen ist) ankam. Freilich sind die Strophen 5 und 6, über diesen Abschnitt hinweg, strukturell untrennbar, weil sie beide Gebetsstrophen sind.

Am Anfang der letzten Strophe wird die Gemeinsamkeit des Gebetes wieder unterbrochen. Der Sprecher redet die Hörer mit »euch« und »ihr Brüder« an. Seine Situation ist der eines bewußt gemachten Erzählers in der Prosa sehr ähnlich. Die letzte Strophe bringt das Abendmotiv zusammen mit dem theologischen Hauptmotivzweig. Die Gebetsgemeinsamkeit wird mit »uns« in den Versen 4 und 5 der letzten Strophe wiederhergestellt. Die beiden Themen und die Strukturelemente kommen also zusammen, werden jedoch im letzten Vers überraschend verlassen, denn die Gebetsgemeinschaft wird ausgedehnt auf einen »kranken Nachbar«, eine fiktive Figur, die auch noch die Gemeinsamkeit von Sprecher und Hörer durchbricht, das lyrische Ich also noch einmal neu ausweitet auf dem Wege zur Verserzählung. Dieser Weg wird aber nicht beschritten, vielmehr wird nur die Beschwörung der Sprecher-Hörer Kommunikation im schon erweiterten lyrischen Ich erneut in Frage gestellt, indem an ihre Grenze erinnert wird.

Ähnliches war auch schon in Vers 3 der letzten Strophe geschehen, auf den der letzte Vers reimt. »Kalt ist der Abendhauch« stellt ja die ganze schöne Harmonie der beiden ersten Strophen in Frage. Der Abendhauch ist feindlich. Er bringt Krankheiten, »Strafen« Gottes, Zeichen der brüchigen Existenz, die in einem ruhigen Schlaf vergessen (Vers 5—6 in Strophe 2) oder geheilt werden können. Der letzte Vers, der die Struktur noch einmal so überraschend durchbricht, impliziert das Liebesgebot, das der brüchigen Existenz ebenso entgegengestellt ist wie das Vertrauen auf Gottes Heil, ein Vertrauen, das nur auf dem Grunde der Einsicht in die Unvollkommenheit, Widersprüchlichkeit, Fragwürdigkeit der menschlichen Existenz entstehen kann.

Ohne von dem klanglichen und rhythmischen Zauber des Gedichtes etwas abzuziehen, läßt sich zusammenfassend sagen: Im Mittelpunkt von Claudius' *Abendlied* stehen die Strophen 4–5 (an die sich Strophe 6 schließt). Sie enthalten im Stile eines geistlichen Liedes ein gemeinsames Gebet der Hörer. [51] Diese Hörer werden geführt von einem predigenden Sprecher, der in den Strophen 3 und 7 hervortritt. Das einleitende Naturbild in Strophe 1 und 2 beschwört ein lyrisches Ich. Das Hervortreten des Sprechers wirkt als Störung des Identitätsbedürfnisses des lyrischen Ich, aber auf dieser Störung beruht die Wirkung. Sie wird in der letzten Strophe wiederholt, wo das Gedicht mit der Einführung einer fiktiven Person an den Rand einer episch-fiktiven Welt geführt wird.

In den beiden ersten Strophen wird die schöne Harmonie des Abends beschworen auf dem Hintergrund einer fragwürdigen und unsicheren Welt. Dieses Verhältnis bereitet auf das theologische Thema vor, das die Eitelkeit des selbstbewußten aufgeklärten Menschen dartut, der sich auf die humanistische Überzeugung von der Möglichkeit der Selbstperfektion des Menschen verläßt.

Die theologische Intention des Gedichtes wirft ein Licht auf eine Orientierungsmöglichkeit der Lyrik der Goethezeit überhaupt. Die Ähnlichkeiten in Struktur und sprachlicher Vergegenwärtigung zwischen den ersten Strophen von Claudius' *Abendlied* und Goethes *Dämmrung senkte sich von oben* . . . sind offensichtlich. Ich habe schon darauf hingewiesen. Heranzuziehen wäre auch das berühmte *Wanderers Nachtlied II*, »Über allen Gipfeln . . .«, von dem unten in Kapitel XI die Rede sein wird. Auch dort sind Bilder der abendlichen Natur beschworen. Vor allem aber entspricht das Thema dieses ganzen Gedichtes, das Einverständnis mit dem eigenen Tode, der 6. Strophe in Claudius' *Abendlied*. Auch das Ziel des Gedichtes aus den *Chinesich-Deutschen Jahres- und Tageszeiten* ist die Vereinigung des lyrischen Ich mit der Natur, also eine Hingabe im Grunde religiöser Natur. Freilich ist diese religiöse Hingabe von ihrer christlich-theologischen Wurzel gelöst. Aber sie ist damit doch nicht ausschließlich in den Bereich ihres Gegenpols geraten, des humanistischen Glaubens an die Selbstperfektion des aufgeklärten Individuums, das Gott nicht nötig hat, allenfalls ihm die Rolle des Protektors bürgerlicher Moral und Ordnung zuweist. Die Naturlyrik Goethes ist Ausdruck einer Grenzerfahrung. Beschwörung eines Naturbildes ist Hingabe des lyrischen Ich an etwas, das Goethe als göttlich empfand. Die Natur ist Zeichen eines nicht mehr theologischen Glaubens an das Eingebettetsein des Ich in einen größeren Zusammenhang, vor dem das Befangensein in sich selber zunichte wurde. In *Auf dem See* erscheint die Kunst der Sprache als Ausdruck dieses religiösen Antriebs.

Man kann diese Glaubensrichtung kaum anders als vage bezeichnen. Gerade diese Vagheit hat einen großen Einfluß gehabt, weil sich Generationen auf die unbestimmte Religiosität in Goethes Naturlyrik (auf niedrigerer Stufe ausgedrückt in dem sogenannten Religionsgespräch im *Faust*) beriefen, die sie als Gegensatz gegen begrifflich starre Theologie oder moralisierende Predigten empfanden. Nietzsche und in seiner Nachfolge ein großer Teil der modernen Lyriker gehört in diese merkwürdige geistesgeschichtliche Situation, in der es zur Konvention wird, sich im Namen des »Lebens«, der Wahrheit oder der Zukunft provozierend gegen irgendeine Starre zu wenden, sei sie Moral, Bürgertum oder eine andere, frühere Konvention. Dieser unbestimmte religiöse Antrieb bringt es mit sich, daß die Vorstellungen, um derentwillen provoziert wird, nicht nur vage sein dürfen, sondern sollen. Je unbestimmter, phantastischer, utopischer, aussichtsreicher, desto besser. In diese Verhältnisse spielen romantische Antriebe hinein; die Romantik radikalisierte gewisse ästhetizistische Antriebe der Klassik. Dies gilt besonders für einen großen Teil der Expressionisten und ihren Traum vom neuen Menschen, der ja auch lyrisch beschworen werden sollte. Ich will mich hier mit diesem Hinweis begnügen.

Es kann kaum verkannt werden, daß Claudius' Predigtton nicht allein auf seine Zeit beschränkt ist. Gerade die Predigt sucht den Hörer aus seiner alltäglichen Welt hinauszuwerfen, ihn zu provozieren. Claudius' Provokation ist von milder Art. Sie will den Leser aus der Naturstimmung, die gerade mit so raffinierten sprachlichen Mitteln erzeugt wurde, wieder hinauswerfen. Provokation ist es, wenn der eben lyrisch beschworene Mond als Halbmond bestimmt und dieses astronomische Faktum für eine christliche Predigt benutzt wird, die auf die Erklärung hinausläuft, der Stolz des aufgeklärten Menschen auf Wissen und Werke sei nichtig. Es spricht nicht dagegen, daß zur Zeit des Wandsbeker Boten Goethesche Naturgedichte noch nicht zur Erwartung des Lesers gehörten. Die beabsichtigte Provokation richtete sich gegen den aufgeklärten Leser, der für empfindsame Dichtung offen war. Der Unterschied zur Provokation etwa der Expressionisten liegt natürlich darin, daß Claudius sich auf eine traditionell bestimmte Religion bezieht, nicht nur auf eine vage religiöse Tendenz.

Auf diesem Hintergrund verstehen wir auch die merkwürdige Zusammengehörigkeit der Gegensätze in *Einsamer nie* – Benns. Verse wie: »Die Äcker rein und glänzen leise« verführen zu der religiösen Hingabe der Goetheschen Naturlyrik. Diese ist aber jetzt Allgemeingut geworden. Goethes Natur und die soziale Welt sind eins, wenigstens im Orientierungshintergrund dieses Gedichtes. Das Ich lehnt sich dagegen provozierend auf. Der Dienst am »Gegenglück« hat ebenfalls im Grunde religiöse Antriebe, es sind die paulinisch-lutherischen Proteste gegen die Selbstsicherheit des in Gesetz, sichtbarer Ordnung und Konvention Bewahrten, gegen die festliegenden Bildungsklischees der Bürger, die in diesem Sinne nichts anderes sind als die »stolzen Menschenkinder« in Vers eins der vierten Strophe von Claudius' Gedicht. Es macht nichts aus, daß die Berufung auf den Geist humanistisch klingt und Christentum und humanistische Selbstperfektion sich ausschließen. In unserer Tradition sind merkwürdige Übergänge vom einen zum anderen üblich, dauernde Mißverständnisse des einen aus dem Geiste des anderen, und die Lyrik ist zur Unterscheidung metaphysischer Tradition nicht verpflichtet. Sie darf mit ihnen spielen.

In diesem Zusammenhang werfen wir einen Blick auf eine Reihe von provokativen Gedichten des Frühexpressionismus. Das erste ist von Georg Heym.[52]

Lichter gehen jetzt die Tage
In der sanften Abendröte
Und die Hecken sind gelichtet,
Drin der Städte Türme stecken
5 Und die buntbedachten Häuser.

Und der Mond ist eingeschlafen
Mit dem großen weißen Kopfe
Hinter einer großen Wolke.
Und die Straßen gehen bleicher
10 Durch die Häuser und die Gärten.

Die Gehängten aber schwanken
Freundlich oben auf den Bergen
In der schwarzen Silhouette,
Drum die Henker liegen schlafend,
15 Unterm Arm die feuchten Beile.

Der erste Eindruck lockt den Leser auf die Verständnisebene eines lyrischen Landschaftsbildes. Am Schluß durch das grausige Bild schockiert, kommt ihm zum Bewußtsein, daß der Sprecher ihm von Anfang an nicht gestattet hatte, sich auf ein schönseliges Naturbild einzulassen. Das »Lichte« der Tage ist nicht beginnender Sommer, sondern Herbst. Die Bedeutung von »licht« wird durch die gelichteten Hecken geklärt. Zwar wäre Vorfrühling als Hintergrund nicht auszuschließen, aber der Ausdruck »sind gelichtet« und die Entstehungszeit des Gedichtes im Oktober 1911 deuten eher auf den Herbst. Die Abende werden fahler, »die Straßen gehen bleicher«, und das Fehlen der Blätter an Bäumen und Hecken macht die Dämmerung dennoch »lichter« als die Dämmerung der Sommerabende. So erklärlich das ist, der Leser wurde dennoch, sicherlich absichtlich, durch den ersten Vers irregeführt. Er muß sich berichtigen und das erzeugt schon eine gewisse Unsicherheit in ihm, während das Gedicht recht behält. Die »sanfte« Abendröte beruhigt ihn zeitweise, daß aber nicht nur die eine sichtbare, sondern »die Städte« von den kahlen Zweigen gewissermaßen eingefangen sind, erregt den vagen Eindruck einer Hilflosigkeit, der dann durch den Schluß bestätigt wird. Freilich wird dieser Eindruck durch das freundliche »buntbedacht« wieder gemildert. Eine ganz ähnliche Funktion hat das Adverb »freundlich« in Vers 12. Auch die viermalige Wiederholung des »und« zusammen mit dem regelmäßigen trochäischen Metrum kommt dem Bedürfnis des Lesers nach einem schönen Naturbild entgegen, während die Erfüllung ihm gleichzeitig entzogen wird. Was bei Claudius als Naturbild der Einleitungsstrophen sich an den empfindsamen Leser wandte, um ihn für die Predigt zu gewinnen, durchzieht bei Heym das ganze Gedicht. Diese schockierende und trotzdem spielerische Entgegensetzung verschiedener Verständnisebenen verrät eine Ähnlichkeit der Strukturen, obwohl bei Heym kein predigender Sprecher hervortritt.[53]

So wird die schockierende Absicht des Gedichtes fast unpathetisch erreicht. Die Beile der Henker sind nicht blutig, sondern »feucht« (Vers 15); der stärkste Kontrast ist der zwischen der sanften Abendröte und den schwarzen Silhouetten der Gehenkten. Diese Lautlosigkeit des schockierend Unheimlichen ist ein großer Reiz des Gedichtes.

Der Mond der mittleren Strophe ist zwar »eingeschlafen« und erscheint zunächst ganz harmlos. Aber schon die Wiederholung des Adjektivs »groß« (Vers 7 und 8) in diesem Zusammenhang paßt nicht in das unschuldige Bild. Vielmehr gehörten die drei Verse 6 bis 8 zu den dämonisierten Monderscheinungen Heyms.[54] Das wird deutlich, weil das Schlafen der Henker einen Zusammenhang herstellt mit dem Eingeschlafensein des Mondes. Mag Heyms dämonisierter Mond auch grausiger sein, allzuweit sind wir dennoch nicht von Claudius, der seinen Abendstimmungs-Mond als Halbmond bestimmt und zum Predigtbeispiel reduziert und damit auf eine andere Ebene des Verständnisses bringt.

Im Gegensatz zu Heyms Gedicht ist Alfred Lichtensteins berühmtes Gedicht Die Dämmerung [55] gereimt, was die karikaturistische Beziehung auf die Tradition abendlicher Naturgedichte verstärkt.

Die Dämmerung

Ein dicker Junge spielt mit einem Teich.
Der Wind hat sich in einem Baum gefangen.
Der Himmel sieht verbummelt aus und bleich,
als wäre ihm die Schminke ausgegangen.

Auf lange Krücken schief herabgebückt
und schwatzend kriechen auf dem Feld zwei Lahme.
Ein blonder Dichter wird vielleicht verrückt.
Ein Pferdchen stolpert über eine Dame.

An einem Fenster klebt ein fetter Mann.
Ein Jüngling will ein weiches Weib besuchen.
Ein grauer Clown zieht sich die Stiefel an.
Ein Kinderwagen schreit und Hunde fluchen.

Der Leser erwartet von einem Gedicht mit dieser Überschrift ein integriertes Bild, und diese Erwartung wird durch regelmäßige, gereimte Verse bis zum Schluß aufrechterhalten, aber von Zeile zu Zeile getäuscht. Die Beziehung auf den Himmel wirkt für den Leser, der Traditionelles erwartet, besonders schockierend, wird der Himmel doch zugleich mit einem »verbummelten« Großstadtmenschen und einem Schauspieler verglichen. Statt eine bildhafte Stimmung zu beschwören, reiht das Gedicht Bildchen an Bildchen, mehr oder weniger epische Andeutungen, manche von einer komischen Unwahrscheinlichkeit. Will man das Gedicht schon lächelnd als scherzhaftes Spiel abtun, wird man durch den eindrucksvollen Schlußeffekt »Hunde fluchen« wieder zurückgehalten. Liest man das Gedicht wieder, stellt man fest, daß auch der »graue Clown« nicht mehr eindeutig komisch genommen werden kann. Das Farbadjektiv suggeriert den Komplex des melancholischen Clowns, der auch in der bildenen Kunst der Zeit eine Rolle spielte. In der zweiten Strophe sind die beiden Lahmen ein melancholisches und komisch-groteskes Bild zugleich. Das Spiel zwischen Scherz und Ernst gehört zur Struktur wie im Falle von Heyms Gedicht.

Ziehen wir wieder Claudius' *Abendlied* heran, so möchte man zuerst beteuern, Claudius habe es ganz ernst gemeint. Und doch: hat nicht die Störung des lyrischen Ich, die Ausnutzung der Bereitschaft des empfindsamen Lesers, sich ein Naturbild vorzaubern zu lassen, um ihn dann in Predigt und Gebet zu ziehen, auch einen spielerischen Charakter? Der Unterschied ist freilich, daß Claudius das lyrische Ich bewußt stört, also als Sprecher offen vor den Hörer tritt. Heym und

Lichtenstein erwecken wie Claudius eine Erwartung im Leser, die sie dann ablenken. Sie tun dies freilich innerhalb eines scheinbar vorausgesetzten lyrischen Ich, also ohne daß ein Sprecher ausdrücklich hervortritt. Die sprachliche Gestaltung des Bildes, besser des Scheinbildes, übernimmt die Störung. Darin ist aber eine distanzierte Stellung des Sprechers gegenüber dem Leser impliziert.

Es ist klar genug, daß beide Gedichte sich auf die Erwartung eines beschworenen Landschaftsbildes beziehen, also in der Karikatur die Geltung der Tradition bestätigen. Auch hier gilt wieder: wir verstehen Claudius besser, wenn wir ihn unsentimental, gewissermaßen mit modernen Augen sehen, als Bestandteil einer fortwirkenden Tradition. Wir verstehen aber auch die Gedichte Lichtensteins und Heyms besser, wenn wir sie nicht allein als Ausdruck eines grundsätzlich Neuen auffassen. Die Geschichte überhaupt, besonders aber die Geschichte der Lyrik, ist kein eindeutig einsträngiger Ablauf, keine notwendige schicksalsmäßige Entwicklung, die jeden Gedanken an Rückgriff und Wiederkehr verböte. Vor allem ist die Geschichte der Lyrik nicht einfach die Geschichte der Auflösung eindeutiger Positionen.

Wir behalten im Auge, daß die Struktur scheinbar die Identifikation zwischen Sprecher und Leser gestatten will, während ihre »Gegenwelt« sich an zwei Polen orientiert, im Falle Heyms an dem traditionellen lyrischen Landschaftsbild und einer grotesken Vision, im Falle Lichtensteins an grotesk-komischen und melancholischen Zügen in den Einzelbildchen.

Die Möglichkeit, statt ein Bild zu beschwören, spielerisch Einzelbilder vorzuführen, hat Lichtenstein auch in dem folgenden Gedicht [56] verwendet, aber mit anderer Intention:

Prophezeiung

Einmal kommt – ich habe Zeichen –
Sterbesturm aus fernem Norden.
Überall stinkt es nach Leichen.
Es beginnt das große Morden.

5 Finster wird der Himmelsklumpen,
Sturmtod hebt die Klauentatzen.
Nieder stürzen alle Lumpen.
Mimen bersten. Mädchen platzen.

Polternd fallen Pferdeställe.
10 Keine Fliege kann sich retten.

Schöne homosexuelle
Männer kullern aus den Betten.

Rissig werden Häuserwände.
Fische faulen in dem Flusse.
15   Alles nimmt sein ekles Ende.
Krächzend kippen Omnibusse.

Apokalyptische Themen finden wir in der frühexpressionistischen
Dichtung häufig. Wenn solche Gedichte mit einer schockierenden Absicht
geschrieben sind, hat dies zur Folge, daß sie die Predigtstruktur eines
Sprechers haben, der dem Hörer gegenüber bleibt. In diesem Gedicht
tritt der Sprecher im ersten Vers hervor und bezeichnet sich als Einge-
weihter. Hier wird also die Identifikation des lyrischen Ich ausdrücklich verhindert.

Wir haben ein regelmäßiges Metrum vor uns, mit Ausnahme von
Vers 3, der wohl als unheimliche Prosa-Unterbrechung des Versklanges
gelesen werden muß, gewissermaßen melodramatisch. Die Intention
integriert moderne Großstadtbilder zur apokalyptischen Vision. Wieder
spielt das Gedicht zwischen Scherz und Ernst, wobei sich der Scherz an
den Großstadtbildern, der Ernst an dem Untergangsthema orientiert.

Spiel mit einem bitterernsten Thema ist auch Paul Celans wohl mit
Recht berühmtestes Gedicht:[57]

Todesfuge

Schwarze Milch der Frühe wir trinken sie abends
wir trinken sie mittags und morgens wir trinken sie nachts
wir trinken und trinken
wir schaufeln ein Grab in den Lüften da liegt man nicht eng
Ein Mann wohnt im Haus der spielt mit den Schlangen der schreibt
der schreibt wenn es dunkelt nach Deutschland dein goldenes Haar
                                                        Margarete
er schreibt es und tritt vor das Haus und es blitzen die Sterne er
                                            pfeift seine Rüden herbei
er pfeift seine Juden hervor läßt schaufeln ein Grab in der Erde
er befiehlt uns spielt auf nun zum Tanz

Schwarze Milch der Frühe wir trinken dich nachts
wir trinken dich morgens und mittags wir trinken dich abends

wir trinken und trinken
Ein Mann wohnt im Haus und spielt mit den Schlangen der schreibt
der schreibt wenn es dunkelt nach Deutschland dein goldenes Haar
Margarete
Dein aschenes Haar Sulamith wir schaufeln ein Grab in den Lüften
da liegt man nicht eng

Er ruft stecht tiefer ins Erdreich ihr einen ihr andern singet und spielt
er greift nach dem Eisen im Gurt er schwingts seine Augen sind blau
stecht tiefer die Spaten ihr einen ihr andern spielt weiter zum Tanz auf

Schwarze Milch der Frühe wir trinken dich nachts
wir trinken dich mittags und morgens wir trinken dich abends
wir trinken und trinken
ein Mann wohnt im Haus dein goldenes Haar Margarete
dein aschenes Haar Sulamith er spielt mit den Schlangen

Er ruft spielt süsser den Tod der Tod ist ein Meister aus Deutschland
er ruft streicht dunkler die Geigen dann steigt ihr als Rauch in die Luft
dann habt ihr ein Grab in den Wolken da liegt man nicht eng

Schwarze Milch der Frühe wir trinken dich nachts
wir trinken dich mittags der Tod ist ein Meister aus Deutschland
wir trinken dich abends und morgens wir trinken und trinken
der Tod ist ein Meister aus Deutschland sein Auge ist blau
er trifft dich mit bleierner Kugel er trifft dich genau
ein Mann wohnt im Haus dein goldenes Haar Margarete
er hetzt seine Rüden auf uns er schenkt uns ein Grab in der Luft
er spielt mit den Schlangen und träumt der Tod ist ein Meister aus
Deutschland

dein goldenes Haar Margarete
dein aschenes Haar Sulamith

Die Wirkung dieses Gedichtes beruht nicht auf einer Botschaft, sondern auf der Verflechtung ernster Elemente mit spielerischen. Die Per-
version der täglichen Nahrung durch Todeserwartung und Todesangst
wird beschworen durch das komprimierte Bild »Schwarze Milch der
Frühe«. Das Leben in der Erwartung des Todes, der aus der gleichen
Quelle kommt wie die Nahrung, wird zum wiederkehrenden Thema

einer »Fuge«. Ernst und spielerisch ist auch die Gegenüberstellung und Zusammenfügung der Sulamith des Hohen Liedes mit Fausts Margarete, die spielerische, aber auch eindringlich integrative Wiederkehr der Motive, von denen »der Tod ist ein Meister aus Deutschland« zugleich bittere Anklage und spielerisch parodistischer Hinweis auf die Todesfaszination ist, wie sie sich von der Romantik über Richard Wagner bis Thomas Mann in der deutschen Tradition manifestiert hat. »Spielen« wird auch unmittelbar zum Thema, der »Mann« der »im Haus wohnt«, der Repräsentant der bösen Macht also, »spielt mit den Schlangen« und zwingt die Insassen, zum Tanz aufzuspielen, »spielt süßer den Tod«. Auch die Form steht in der Nachfolge von Rilkes freier Verwendung klassischer Langverse, die ihrerseits auf Klopstock, Hölderlin, auch auf Goethe und Schillers Hexameter zurückverweist. Wie schon bei Rilke ist die Tradition nur durchzuspüren, sie wird erkennbar an relativ vielen Daktylen. Es herrscht keinerlei Regelmäßigkeit, was angesichts von Klopstocks und Goethes Hymnen in freien Rhythmen nicht besonders traditionszersetzend wirkt.

Todesfuge ist allerdings eine Ausnahme unter den Gedichten Celans, weil es die Identifikation des lyrischen Ich gestattet. Der Sprecher beschwört ein »wir«, es sind die Lagerinsassen, er weiß aber zugleich, was der Aufseher »im Haus« nach Deutschland schreibt. Das lyrische Ich identifiziert sich mit der Lageratmosphäre, die Sprache beschwört sie herauf. Das lyrische Ich nimmt an Todesangst und an dem zynischen und rüden Übermut des »Mannes im Hause« teil. Es ist das spielerische Element, das letzten Endes tiefer eindringt, als Predigt, Mahnung, Anklage vermöchten.

Ein anklagendes Gedicht haben wir in dem folgenden von Hans Magnus Enzensberger vor uns. Gegenstand ist die Verschmutzung der Luft und des Wassers durch die Industrie und mehr noch durch Kernwaffenversuche. Manche Stellen scheinen sich gegen die Industriewelt überhaupt zu richten. Das Gedicht will einen unheimlichen Feind namhaft machen. Die Struktur ist durch die Überschrift bezeichnet, die zuerst »An Alle« lauten sollte, schließlich aber als Anspielung auf Postwurfsendungen parodistisch verfremdet wurde.[58] Der Sprecher wendet sich an die Hörer, er vertritt freilich »unsere« Sache. Eine Ähnlichkeit mit der Predigtstruktur ist unverkennbar.

an alle fernsprechteilnehmer

etwas, das keine farbe hat, etwas,
das nach nichts riecht, etwas zähes

trieft aus den verstärkerämtern,
setzt sich fest in die nähte der zeit
und der schuhe, etwas gedunsenes
kommt aus den kokereien, bläht
wie eine fahle brise die dividenden
und die blutigen segel der hospitäler,
mischt sich klebrig in das getuschel
um professuren und primgelder, rinnt,
etwas zähes, davon der salm stirbt,
in die flüsse, und sickert, farblos,
und tötet den butt auf den bänken.

die minderzahl hat die mehrheit,
die toten sind überstimmt.

in den staatsdruckereien
rüstet das tückische blei auf,
die ministerien mauscheln, nach phlox
und erloschenen resolutionen riecht
der august, das plenum ist leer.
an den himmel darüber schreibt
die radarspinne ihr zähes netz.
die tanker auf ihren helligen
wissen es schon, eh der lotse kommt,
und der embryo weiß es dunkel
in seinem warmen, zuckenden sarg:

es ist etwas in der luft, klebrig
und zäh, etwas, das keine farbe hat
(nur die jungen aktien spüren es nicht):
gegen uns geht es, gegen den seestern
und das getreide, und wir essen davon
und verleiben uns ein etwas zähes,
und schlafen im blühenden boom,
im fünfjahresplan, arglos
schlafend im brennenden hemd,
wie geiseln, umzingelt von einem zähen,
farblosen, einem gedunsenen schlund.

Das reim- und strophenlose Gedicht besteht aus Zeilen, die sich
metrisch lesen lassen, wenn auch manchmal nur mit Schwierigkeiten.
Bei ein- und zweisilbigen Senkungen kommen in den beiden ersten

Versen fünf, danach zumeist vier Hebungen heraus, gelegentlich kommt wieder ein fünfhebiger Vers vor, gegen Ende zweimal ein dreihebiger. Beabsichtigt war metrische Lesung wahrscheinlich nicht. Der Text soll, wie ein großer Teil der modernen Lyrik, langsamer und eindringlicher gelesen werden als Prosa. Enzensberger spricht von »einem suchenden Parlando, einem Rhythmus, der sich stoßweise staut und löst zwischen der Anspannung des Suchens und der Befreiung des Findens, die alsbald in neues Suchen umschlägt.«[59]

Dieses Suchen hat etwas Ernstes, es nimmt sich selbst ernst. Die metrische Sprache, wenn sie gemeistert wird, hat eine spielerische Funktion, auf die Enzensberger keinen allzu großen Wert zu legen scheint. Er integriert sein Gedicht, worauf er selbst hinweist, durch Alliterationen und Vokalklänge sowie durch Beziehungen der Metaphern untereinander.[60]

Das spielerische Element in diesem Gedicht liegt in der Wortwahl. Es war schon in der Überschrift zu bemerken. Die Zusammenstellung von heterogenen Begriffen wie Zeit und Schuhe, Professuren und Primgelder gehört dazu. Man findet Beispiele vor allem im letzten Abschnitt. Die mauschelnden Ministerien, der August, der nach Phlox und erloschenen Resolutionen riechen soll, das leere Plenum, das vielleicht nicht nur der Ferien wegen leer steht, sondern mit dessen Charakter als Vollsitzung des Parlaments leeres Gerede verbunden sein mag. Noch einmal blitzt Humor im »blühenden boom« auf, das Ende ist dann wieder ernst und bedrohlich (während die Henker bei Heym durch ihr Schlafen auch etwas komisch Unwirkliches hatten). Das bedrohliche Nennen ist die Intention des Gedichtes.

Deswegen gibt es auch bitter ernste Metaphern, unter denen die der »blutigen segel der hospitäler« auffällt. Enzensberger hat sie erklärt.[61] Sie entstand, weil das Zähe der Verunreinigungen die Sanatorien aufblähe, vielleicht war zuerst gemeint: für sie ein Geschäft sei. An diese Idee schloß sich die Vorstellung von blutigen Laken. Das Bild wurde nicht mehr auf Sanatorien, sondern auf Hospitäler angewandt, wo die Opfer der Industriegesellschaft leiden. Was herauskommt, ist aber nicht die zwingende Beschwörung von etwas kaum Sagbarem (wie in Celans »schwarzer Milch der Frühe«), sondern eine schreiende, dabei unangemessene Metapher. Das Leiden wird nicht getroffen. Zufällig wissen wir in diesem Falle über den Ursprung Bescheid. Es sei aber der Verdacht ausgesprochen, daß viele rätselhafte Bilder in der modernen Lyrik (im allgemeinen sind sie viel rätselhafter) ein Mißlingen unter sich begraben haben.

Auch die spielerischen Elemente dienen dem Aufbau einer Welt, die durch die Adjektive »zäh«, »klebrig«, »tückisch«, »farblos« und »gedunsen« gekennzeichnet ist. Der vorherrschende Eindruck des Gedichtes entspricht seiner ernsten Intention. Es herrscht eine Art von Verdrossenheit, die auch daraus entsteht, daß sich die predigende Anklage gegen etwas nicht so recht Bestimmbares richtet, gegen »etwas, das«, die Wörter, die nach Enzensberger die Keimzelle des Gedichtes sind.[62]

Dem Ich fehlt also ein strukturelles Gegengewicht. Die festgehaltene Predigtstruktur selbst birgt natürlich die Gefahr der Eintönigkeit. Aber auch die Beschwörung ist gerichtet auf »etwas zähes«. Sie enttäuscht also die Erwartung des Lesers, der die Beschwörung einer sinnvollen Gestalt erwartet, und diese Enttäuschung ist Absicht und Reiz des Gedichtes.

Enzensberger weist auf einen metaphorischen Zusammenhang hin: die Navigationsmetapher. Auch von den hier bereitliegenden sprachlichen Möglichkeiten macht er keinen Gebrauch, etwa um einen Gegensatz herzustellen, der dem verdrossenen Sprecher gegenüberstehen könnte. Auch vom Meere her weht keine reinere Luft.

Aufschlußreich ist eine Stelle in Enzensbergers Kommentar. Er spricht von dem Begriff »radarspinne«. Damit meint er das Netz der Peilstrahlen, nach denen die Flugzeuge fliegen und vor Kollisionen bewahrt werden. Ausdrücke wie »Schienennetz« und »Benzinuhr« kann man als scherzhaftes Spiel der Techniker mit der Sprache auffassen, aber auch als etwas Unbehagliches. Enzensberger dämonisiert seine Spinne und erklärt die Verwendung des Wortes »radarspinne« in seinem Gedicht: »eine wirkliche, wenngleich unsichtbare Spinne, die unsern Himmel zuwebt, und das heißt: ihn als das, was er eigentlich ist, verdeckt.«[63] Er nimmt also Vieldeutigkeit für das Wort »radarspinne« in Anspruch. Andererseits mißt er ihre Wirkung an dem, »was der Himmel eigentlich ist«. Offensichtlich hat ihn hier die negative Intention des Gedichtes, das er kommentiert, in ihren Bann geschlagen. Technik kann als befreiender Rausch empfunden werden, als Überwindung jahrtausendealter Schranken. Sie kann mit dem gleichen Recht als Bedrohung des Menschlichen empfunden werden. Sie wird *nur* so empfunden, wenn man sich ausschließlich an den angeblichen Werten der guten alten Zeit orientiert. Enzensberger ist mit der oben zitierten Bemerkung in die Denkbahnen ewig unzufriedener Konventikel geraten, denen unsere technische Welt nun einmal zuwider ist. Es ist schwer glaublich, daß er eine theologische Lösung der Frage, was der Himmel eigentlich sei, bereit hat. Was der Himmel eigentlich ist, wissen wir ebensowenig, wie wir angeben könnten, was Wirklichkeit eigentlich sei.

Es kommt auf das Feld unseres Verständnisses, auf die Relationen an, ob wir den oberen Luftraum der Physik mit seinen Lichtbrechungserscheinungen, den Bereich der Vögel oder der Flugzeuge meinen oder ein Zeichen für das Heilige. Die Orientierung von Enzensbergers Kommentar seiner Radarspinne an einer stabilen und eindeutigen Weltauffassung erregt den Verdacht, daß es auch seinem Gedicht an Spielraum fehlt.

Natürlich ist es nicht verboten, die Verschmutzung von Luft und Wasser in ein Sprachkunstwerk einzubeziehen. Aber man muß sich entscheiden, ob man einen anklagenden Essay schreiben oder einen Moment sprachlich rhythmisch beschwören will. In einem Gedicht wird der Anlaß sprachlich verwandelt und das lyrische Ich befreit sich von ihm.

Ein Gedicht bietet die Möglichkeit unverbindlichen Sprachspiels, sein momentaner Charakter erweckt den Anschein einer unkomplizierten Unmittelbarkeit im Gegensatz zum Essay, der wenigstens eine gewisse Unterrichtung des Schreibers voraussetzt. Der Gedichtschreiber ist freier von sachlichen Forderungen als selbst der künstlerische Essayist, an den ja auch kein Gelehrten-Maßstab gelegt werden darf. Aber diese Unverbindlichkeit wird kompensiert durch die Forderung nach struktureller Orientierung. Das Gedicht muß einen Spielraum haben, der durch eine Struktur geklärt, durch Beziehungspole bezeichnet sein kann. Ein solcher Spielraum ist in Enzensbergers Gedicht zu schwach entwickelt.

Geradezu ein Musterbeispiel für eine leicht überschaubare orientierende Struktur bietet ein Gedicht von Ingeborg Bachmann:[64]

Reklame

Wohin aber gehen wir
ohne sorge sei ohne sorge
wenn es dunkel und wenn es kalt wird
sei ohne sorge
5 aber
mit musik
was sollen wir tun
heiter und mit musik
und denken
10 *heiter*
angesichts eines Endes
mit Musik

und wohin tragen wir
am besten
15   unsre Fragen und den Schauer aller Jahre
in die Traumwäscherei ohne sorge sei ohne sorge
was aber geschieht
am besten
wenn Totenstille

20   eintritt

Schon durch die Druckanordnung sind Zeilen unterschieden, die
Fragen stellen und andere, die, flüchtig der Versform angenähert, Fet-
zen von Reklamesprüchen laut werden lassen. Dabei integrieren sich
diese Sprüche zu einer optimistischen Weltauffassung, die durch die
Fragen des Gedichtsprechers als falsch enthüllt wird. Am Ende fließen
beide Stimmen zusammen, indem der Superlativ »am besten« sowohl
zu dem Reklameoptimismus als auch syntaktisch in die Fragen hinein-
paßt. Sehr eindrucksvoll ist das letzte Wort, weil es den Vokal von
»heiter« (Vers 8 und 10) und das unbetonte i von »Musik« (Vers 6, 8,
12) in sich enthält und so ein klangliches Echo zu dem Reklamesingsang
bildet, der in der »Totenstille« zur Ruhe kommt. Das Wort »eintritt«
erhält eine überraschende mythische Lebendigkeit. Die Totenstille bewegt sich auf uns zu.
    Die beiden Aussagen des Gedichtes, die Fragen und der Reklame-
singsang, sind aber auch durch Vokalklänge miteinander verbunden.
Die o-Laute von »ohne sorge« (Vers 2, 4, 16) klingen in »sollen« (Vers
7), »wohin« (Vers 13) und in »Totenstille« (Vers 19) wieder auf. Dieses
Wort ist vokalisch auch mit dem kurzen i von »eintritt« verbunden
und macht den klanglichen Verweis auf »Musik« geradezu zwingend.
    Der Sprecher sagt »wir«. Der Leser ist zur Teilnahme eingeladen, ein
lyrisches Ich bildet sich. Die Struktur ist zu einem Teil der in Goethes
Dämmrung senkte sich von oben ... ähnlich. An der Stelle der Landschaft steht der Reklamesingsang, der vom lyrischen Ich orientiert
wird, und am Schluß findet eine Vereinigung statt. Aber auch die Pro-
testsituation, wie sie der zeitgenössischen Dichtung vor allem vom
Expressionismus her vertraut war, ist Teil der Struktur. Daher ist die
Trennung zwischen dem lyrischen Ich und der Umwelt viel stärker als
in Goethes Gedichten. Es handelt sich jedoch weder um die Predigtstruktur noch um eine Schock-Intention. Das lyrische Ich fragt ganz
schlicht: »wohin aber gehen wir«? Es ist dem modernen Treiben nicht
so überlegen, daß es ein Urteil fällen könnte. Es weiß nichts besser; nur

durch sein Fragen setzt es den optimistischen Singsang negativer Beurteilung aus, weil es auch dann nicht zu fragen aufhört, wenn ihm eine Schein-Antwort gegeben wird. Die Reklamezeilen standen anfangs beziehungslos den Fragen gegenüber. Dann fügen sie sich adverbial den Sätzen des Sprechers schlecht und recht ein, um in Vers 16 eine Antwort auf seine Frage zu versuchen. Die fortgesetzte Frage aber beschwört das Eintreten der Totenstille, worauf der Singsang verstummt.

Die Fragen des lyrischen Ich sind weder Verse noch Prosa, sondern verlangen ein eindringliches rhythmisches Sprechen, wie es in moderner Lyrik üblich geworden ist. Es gibt eine deutlich spürbare rhythmische Gestalt: die meisten der Fragezeilen (Vers 1, 3, 7, 11, 13, 17, 19, 20) haben zwei Hauptbetonungen. Dieser rhythmische Haupttyp wird unterbrochen von zwei Zeilen mit nur einer Hauptbetonung (Vers 5 und 9) und einer mit drei (Vers 15). Diese rhythmischen Variationen verhindern, daß ein Fluß zustande kommt, die Aussage behält etwas Zögerndes. Der Haupttyp ist aber stark genug, um die Betonung beider Silben im letzten Wort und Vers zu erzwingen.

Es wäre wenig sinnvoll, die geradezu überdeutliche Struktur dieses Gedichtes im Ernst als Vorbild hinzustellen. Es ist aber sicher, daß sie zur Wirkung des Gedichtes beiträgt. Das Gedicht erschließt sich unmittelbar; es erlaubt, daß ein lyrisches Ich sich herstellen kann, der Leser also nicht vom Verständnis ausgeschlossen ist. Auf private Chiffren und Rätselsprache wird verzichtet, was in zeitgenössischer Lyrik und auch unter Ingeborg Bachmanns Gedichten selten ist. Dem lyrischen Ich steht eine »Gegenwelt« gegenüber, die gewissermaßen im Lichtkegel des lyrischen Momentes durch das lyrische Ich Sinn erhält, einen negativen in diesem Falle. Die Sinngebung wirkt auf das lyrische Ich zurück, es findet sich in der »Gegenwelt«. Das ist eine Grundstruktur, die wir in vielen Gedichten finden, von den *Merseburger Zaubersprüchen* an. Daß die Reklame hier an die Stelle von mythischer Erzählung oder Goethes Landschaft tritt, hat nichts mit Zersetzung zu tun. Es ist oft erstaunlich, wie blind manche Geschichtsschreiber der modernen Lyrik gegenüber der Tatsache sind, daß sich in der Literaturgeschichte in Variationen Altes dauernd wiederholt, daß der Glaube an einen notwendigen und endgültigen Gang der Formgeschichte irrig ist. Der Spielcharakter der Kunst bringt es mit sich, daß Strukturen, Aussagen, Bilder, auch Arten der sprachlichen Beschwörung, wiederholt, parodiert, karikiert, tabuiert und dennoch wieder aufgenommen werden. Parodie insbesondere ist ein normales Verhalten gegenüber einer Tradition.

VI

Schon oben in Kapitel II habe ich auch das »Dinggedicht« in die
Grundstruktur einbezogen, in der einem lyrischen Ich eine Gegenwelt
vorgehalten wird, die es orientiert und an der es sich findet. Nur eine
Vereinigung von lyrischem Ich und Gegenwelt findet im Dinggedicht
nicht statt. Das lyrische Ich findet sich gerade an der Unzugänglich-
keit der »Gegenwelt«. Darum eignen sich Tiere und Kunstwerke
gleichermaßen für diesen Typ. Wir betrachten ein Gedicht aus dem
»Anderen Teil« von Rilkes *Neuen Gedichten*.[65]

> Die Flamingos
> *Paris, Jardin des Plantes*
>
> In Spiegelbildern wie von Fragonard
> ist doch von ihrem Weiß und ihrer Röte
> nicht mehr gegeben, als dir einer böte,
> wenn er von seiner Freundin sagt: sie war
>
> 5   noch sanft von Schlaf. Denn steigen sie ins Grüne
> und stehn, auf rosa Stielen leicht gedreht,
> beisammen, blühend, wie in einem Beet,
> verführen sie, verführender als Phryne,
>
> sich selber; bis sie ihres Auges Bleiche
> 10   hinhalsend bergen in der eignen Weiche,
> in welcher Schwarz und Fruchtrot sich versteckt.
>
> Auf einmal kreischt ein Neid durch die Volière;
> sie aber haben sich erstaunt gestreckt
> und schreiten einzeln ins Imaginäre.

Rilke umspielt die Sonettform, wie so häufig. Die Reimform a b b a
und die Druckanordnung erhebt den Anspruch, als Sonett zu gelten.
Die Strophenordnung des Sonetts wird aber nicht realisiert. Es gibt
einen Einschnitt nur nach dem ersten Terzett. Die Enjambements gleiten
über die Strophenenden beider Quartette und verhindern so, daß sich
eine Stropheneinheit auch nur konstituiert. Der formale Anspruch, ein
Sonett vorzustellen, und der Fluß der Verse stehen bis zum Ende des
ersten Terzetts im Widerspruch. Gerade darin liegt ein Reiz des Gedichtes.

Die scheinbaren Strophenenden bewirken eine kleine Spannpause beim Sprechen. Tatsächlich liegt in dem was folgt: »noch sanft von Schlaf« (Vers 5) und »sich selber« (Vers 9) etwas Überraschendes. In beiden Fällen wird eine Erwartung abgebogen. Im ersten Falle erwartet man die Verdeutlichung des Farbeindrucks, der dann nur indirekt gegeben wird: die Farben der Spiegelbilder sind von einer sanften Röte wie die Wangen eines eben erwachten Mädchens. Dieses Mädchen, so liebenswert es durch diese Wendung heraufbeschworen wird, ist die Freundin eines anderen. Zeigen und entziehen ist die durchgehende Intention des Gedichtes. Der Satz »sie war noch sanft von Schlaf« wird überdies über Vers und Strophengrenzen hinweg aus seiner Umgebung herausgehoben, weil die beiden ersten Hebungen von Vers 4 kaum realisiert werden können. Dieser Vers hat sich beinahe in Prosa aufgelöst; er beginnt erst am Versende wieder zu pulsen. Im zweiten Falle (Vers 9) erwartet der Leser, daß nun endlich klar wird, was die Flamingos sind: Verführende. Aber die erwartete Beziehung zum lyrischen Ich wird abgebogen. Die Flamingos entziehen sich, sie verführen nicht das lyrische Ich wie eine Künstlerin der Verführung, wie Phryne,[66] sondern sich selber, was als höherer Grad der Verführung erscheint, eine narzißtische Verführung, ein Ruhen in sich selber, wie Kunstwerke tun. In dieses narzißtische Motiv wird die folgende Bewegung der Vögel eingeordnet, das Bergen des Kopfes am eigenen Körper (Vers 9—10).

Das letzte Terzett bildet eine eigene Einheit. Ein Vokalthema auf ei erscheint, gedeutet durch »Neid« und »kreischt«. Der häßliche Vogellaut wird menschlich gedeutet. Aber die Reaktion der Flamingos ist nicht die menschliche. Vers 13 wird durch »sie aber« von Vers 12 abgesetzt. Der Neid erhält keine andere Antwort als erstauntes und lautloses Sich-Strecken und Fortschreiten. Als Ziel dieses Schreitens wird das Imaginäre angegeben. Dieser Bereich ist in dieser Situation zweideutig. Es ist einerseits ein Fabelreich, in das die Flamingos sich entziehen, andererseits ist die Imagination eine Weise, sich ihnen zu nähern.

Das Gedicht hatte mit einem i-Thema begonnen, das durch »Spiegelbilder« bestimmt wurde. Die Spiegelung der Flamingos im Wasser (vgl. Vers 5: »Denn steigen sie ins Grüne«) ergibt Bilder, »wie von Fragonard«. Ein ästhetischer Eindruck bietet sich an, Bilder eines Rokokomalers. Sehr wahrscheinlich hat Rilke galante Genrebilder oder solche mit erotisch-mythologischen Themen im Auge. Der Versuch, den Flamingos gerecht zu werden, ist unbefriedigend. Ein neuer Versuch ist die imaginäre Situation, daß ein beliebiger »einer« seine Freundin mit den Worten kennzeichnet: »sie war noch sanft von Schlaf«. Es war schon die Rede davon, wie dieser Satz sich einerseits spielerisch gegen die Sonettform behauptet, andererseits das Metrum nach einer Prosaunterbrechung wieder zur Geltung bringt. Auch wird dieser Kennzeichnung der Flamingos zunächst nicht widersprochen. Vielmehr führt das »denn« (Vers 5) den Leser weiter. Es lohnt sich, noch einmal darauf hinzuweisen: Der erotische Vergleich, mit dem die Flamingos – vorläufig wenigstens scheint es so – erfaßt werden, ist imaginär. Die Situation, daß einer so etwas sagt, ist es und es handelt sich ausdrücklich um eine nicht anwesende Freundin dieses nicht anwesenden anderen. Der Leser, der in das Verständnis der Flamingos als Zeichen des Sanften, Lieblichen, Erotischen hineingelockt worden ist, wird durch das Bild des blühenden Beetes nicht gerade bestätigt. Das pflanzliche Blühen ist in diesem Zusammenhang eher eine Reduktion des erotischen Bildes. Der Topos »blühendes Mädchen« bezieht sich auf eine einzelne Blume, nicht auf ein blühendes Beet; in diesem Bild herrscht das Dekorative vor. Doch der Leser wird auf der Fährte gehalten durch »verführen« und »Phryne« (Vers 8); das Erotische wird wieder intensiviert, um dann in dem narzißtischen »sich selber« (Vers 9) die Gefühlsintensität des Lesers fortzustoßen. Dasselbe geschieht dann noch einmal im letzten Terzett mit dem »Neid«, der unmittelbares Verständnis erweckt. Ist hier nicht eine kreatürliche Gemeinsamkeit von Tier und Mensch angesprochen? Vielleicht — aber die Tiere entziehen sich, eine Verständnisebene gibt es nicht, außer im »Imaginären«. Das Gedicht als Ganzes, das Zeigen und Entziehen, hat aber dennoch die Flamingos beschworen.

Die Struktur des Dinggedichtes ist durch das Draußenbleiben des lyrischen Ich gekennzeichnet, das sich nicht mit seiner »Gegenwelt« identifizieren kann. Dennoch ist das Gedicht selber eine Aneignung der Gegenwelt im Bereich des Imaginären, im ästhetischen Bereich, der die unmögliche Identifikation gestattet um den Preis der Aufgabe der alltäglichen Umwelt des Ich. Das lyrische Ich als Vereinigung von Sprecher und Leser ist an sich schon kein empirisches Ich; immerhin versetzt sich der Leser, durch die Sprache beschworen, in den Zustand des Sprechers, verläßt also seine eigene Welt nicht notwendig. Wendet es seine Einbildung an ein sich selbst besitzendes Ding, an das Geben und Nehmen, das Strömen und Ruhen der Brunnenschalen etwa, so schließt es ausdrücklich aus, den Brunnen in seine alltägliche Umwelt aufzunehmen, sei es als Wasserspender, sei es als Dokument der Kunstgeschichte oder als Dekoration eines schönen Platzes, als menschlicher Ausdruck, vielleicht des Macht- oder Gemeinschaftsbewußtseins.

VII

Sowohl das Dinggedicht ist eine moderne lyrische Form als auch das assoziative Gedicht, das Teile der Welt, die Leser und Sprecher gemeinsam ist, sprachlich beschwört, aber in der Weise, daß sich eine neue Welt bildet, die sich von der gewohnten ausdrücklich unterscheidet. Wie in Rilkes *Die Flamingos* ein Ansatz auf den anderen folgt, um diese erstaunlichen Vögel in die Sprache zu bringen, so sucht das lyrische Ich im assoziativen Gedicht einen Moment zu beschwören, indem es beliebige Stücke Welt sprachlich ergreift, um sie neu zusammenzusetzen. Auf diese Weise kann das lyrische Ich sich selbst spiegeln, es kann auch einen künstlichen Moment beschwören. Daß ein lyrisches Ich zustande kommt, setzt freilich voraus, daß Sprecher und Hörer sich verstehen.

Die Willkür eines solchen künstlichen Moments hat eine lange Vorgeschichte. Ihr Ursprung ist am besten in der Jenaer Romantik greifbar, in Friedrich Schlegels Diktum, daß »die Willkür des Dichters kein Gesetz über sich leide«,[67] vor allem in Hardenbergs *Hymnen an die Nacht*. Denn der romantische Nachtmythos hat ausdrücklich den Zweck, die Orientierungen der alltäglichen Umwelt auszuschließen. Das Programm der Romantik des Jenaer Kreises will eine Radikalisierung der klassischen ästhetischen Praxis. Auch die Landschafts-Gegenwelt der hier betrachteten Gedichte Goethes war kein Abbild der alltäglichen Umwelt; sie war auch nicht, mindestens nicht ausschließlich, aus konventionellen Topoi zusammengesetzt. Die Vereinigung des lyrischen Ich mit der Landschaft konnte nur im Bereich des Imaginären stattfinden.

Die Trennung des Reiches dichterischer Imagination von dem der alltäglichen Orientierungen, ist der Ursprung des romantischen Nachtmythos. Die alltäglichen Orientierungen werden mit der Tageswelt identifiziert. Die Nacht entzieht der Tageswelt die Unterscheidungsmöglichkeiten, die Grenzen zwischen den Dingen und Räumen verschwinden, es ist keine Trennung mehr. So werden Nacht und Liebe assoziiert, hätten sie nicht ohnehin Beziehung zueinander. Dazu tritt der Tod, der alle irdischen Bande löst. Zwar hatte Hardenberg einen persönlichen Anlaß zu dieser Verbindung von Liebe, Tod und der Nacht als Reich des Imaginären, aber das erklärt nicht die ungeheure Wirkung, die diese Kombination hatte. Kristallisationspunkt dieser Wirkung wurde noch einmal der *Tristan* Richard Wagners.[68]

In der schon reduzierten biedermeierlichen Romantik Eichendorffs, die populärer werden sollte als die des Novalis, finden wir ein Echo des Nachtmythos:

> Schweigt der Menschen laute Lust:
> Rauscht die Erde wie in Träumen
> Wunderbar mit allen Bäumen,
> Was dem Herzen kaum bewußt,
> Alte Zeiten, linde Trauer,
> Und es schweifen leise Schauer
> Wetterleuchtend durch die Brust.[69]

Unter einer Bedingung fühlt sich das lyrische Ich in der Lage, das Rauschen der Bäume als Sprache der träumenden Erde zu verstehen, sich in den Bereich des Imaginären, unbestimmter »leiser Schauer«, »linder Trauer« und »alter Zeiten« zu versetzen: wenn die Tageswelt, die »laute Lust« der Menschen verstummt ist. Eichendorff findet den Bereich des Imaginären in seiner Welt des Waldesrauschens. Der Nacht-mythos des Novalis zieht die Trennungslinie schärfer:

> Abwärts wend ich mich
> Zu der heiligen, unaussprechlichen
> Geheimnißvollen Nacht –
> Fernab liegt die Welt,
> Wie versenkt in eine tiefe Gruft [70]
> . . .

Die Tageswelt wird von der Nacht gleichsam in eine Gruft versenkt, ihre Begrenzung ist offenbar gemacht. In dem »abwärts wend ich mich« liegt andererseits die Möglichkeit, daß das lyrische Ich die Trennung als Abstieg in ein Unterreich betrachtet. Der Vergleich mit dem Berg-mann bietet sich an. In *Heinrich von Ofterdingen* gehört ein Bergmann und sein unterirdisches Reich zu Heinrichs Ausbildung als Dichter: »Sein einsames Geschäft sondert ihn vom Tage und dem Umgang mit Menschen einen großen Teil seines Lebens ab. Er gewöhnt sich nicht zu einer stumpfen Gleichgültigkeit gegen diese überirdischen tiefsinnigen Dinge und behält die kindliche Stimmung, in der ihm alles mit seinem eigentümlichsten Geiste und ursprünglichen bunten Wunderbarkeit er-scheint.« [71] Das im Roman bald darauf folgende Lied des Bergmanns ist ein Lied über den Dichterberuf bei Gelegenheit des Bergmanns-motivs. [72]

Der ist der Herr der Erde, (1)
Wer ihre Tiefen mißt,
Und jeglicher Beschwerde
In ihrem Schoß vergißt.

Wer ihrer Felsenglieder (2)
Geheimen Bau versteht,
Und unverdrossen nieder
Zu ihrer Werkstatt geht.

Er ist mit ihr verbündet, (3)
Und inniglich vertraut,
Und wird von ihr entzündet,
Als wär sie seine Braut.

Er sieht ihr alle Tage (4)
Mit neuer Liebe zu,
Und scheut nicht Fleiß und Plage,
Sie läßt ihm keine Ruh.

Die mächtigen Geschichten (5)
Der längst verfloßnen Zeit,
Ist sie ihm zu berichten
Mit Freundlichkeit bereit.

Der Vorwelt heilge Lüfte (6)
Umwehn sein Angesicht,
Und in die Nacht der Klüfte
Strahlt ihm ein ewges Licht.

Er trifft auf allen Wegen (7)
Ein wohlbekanntes Land,
Und gern kommt sie entgegen
Den Werken seiner Hand.

Ihm folgen die Gewässer (8)
Hülfreich den Berg hinauf;
Und alle Felsenschlösser,
Tun ihr Schätz' ihm auf.

Er führt des Goldes Ströme (9)
In seines Königs Haus,
Und schmückt die Diademe
Mit edlen Steinen aus.

Zwar reicht er treu dem König   (10)
Den glückbegabten Arm,
Doch fragt er nach ihm wenig
Und bleibt mit Freuden arm.

Sie mögen sich erwürgen   (11)
Am Fuß um Gut und Geld,
Er bleibt auf den Gebürgen
Der frohe Herr der Welt.

Die Bereiche des Dichter- und Bergmannsberufes sind so übereinander-gelegt, daß jeder Zug auf beide paßt.[73] Ein solches Spiel mit der Sprache verlangt einen Hinweis zur Auflösung. Das wird in Strophe 5 vorbereitet, wo man noch an die Geologie denken kann, wo aber eher der Dichter gemeint ist, der ein besonderes Verhältnis zur Geschichte haben soll, was im *Ofterdingen* im gleichen Kapitel durch die Hohen-zollern-Episode demonstriert wird. Nur sehr dünn ist der Schleier des Bergmann-Motives in den Strophen 6 und 7 und im letzten Vers der letzten Strophe. Das Machtbewußtsein zeigt sich auch in Strophe 8, wenn Hardenberg hier auch auf seine Kenntnisse des Salinenwesens anspielen dürfte.

Zum Verständnis des Gedichtes trägt der Kontext des Romans bei. Der Vortragende und der hauptsächliche Hörer, Heinrich, kommen sich auf der fiktiven Ebene nahe. »Heinrich gefiel das Lied ungemein.« Offenbar nicht aus prosaischem Interesse, das schließt die Intention des Romans aus. Heinrich wird nur mit Erlebnissen konfrontiert, die ihn in seinem Dichterberuf fördern können. Das lyrische Ich beschwört eine »Gegenwelt«, die in der Alltagswelt des Lesers nicht vorkommt. Sie besteht aus dem Spiel mit den beiden Ebenen Bergmannsberuf – Dichterberuf. Dabei bezieht der Bergmannsberuf von der Analogie des Dichterberufes seinen poetischen Wert, der ihn verklärt, der Dichterberuf bezieht aus der Analogie eine Klärung seines Charakters.

Ein Spiel zwischen Nachtmythos und dem Motiv der Vereinigung mit einer Geliebten ist die folgende Stelle aus den *Hymnen an die Nacht:*[74]

Preis der Weltköniginn
Der hohen Verkündigerinn
Heiliger Welt,
Der Pflegerinn
Seliger Liebe
Du kommst, Geliebte –

Die Nacht ist da –
Entzückt ist meine Seele –
Vorüber ist der irrdische Tag
Und du bist wieder Mein.
Ich schaue dir ins tiefe dunkle Auge,
Sehe nicht als Lieb und Seligkeit.
Wir sinken auf der Nacht Altar
Aufs weiche Lager –
Die Hülle fällt
Und angezündet von dem warmen Druck
Entglüht des süßen Opfers
Reine Glut.

Es hat hier offenbar keinen Sinn, von einer wirklichen einerseits und einer metaphorischen oder symbolischen Bedeutungsebene andererseits zu reden. Daß Hardenbergs Verlust seiner Verlobten die Hymnen ausgelöst hat, daß die dritte Hymne wahrscheinlich der Ursprung des Zyklus ist, dürfte als gesichert gelten. [75] Die in der ersten Hymne genannte Geliebte ist als imaginäre Wiederkehr der wirklichen Braut zu deuten (»Und du bist wieder Mein«). Diese Wiederkehr geschieht jedoch auf der gleichen imaginären Ebene wie die Mythisierung der Nacht, die ja auch einen Hintergrund in der Alltagswelt hat. [76]

Es soll sogleich von einem Gedicht Heyms die Rede sein. Einer der stärksten poetischen Jugendeindrücke Heyms waren Hölderlins Gedichte. Obwohl ein großer Teil der anfänglichen Schwärmerei für den einsamen schönen Genius in Heyms Tagebuch nicht sehr ernst zu nehmen ist, muß man doch damit rechnen, daß die sich selbst konstituierende Gegenwelt (aus sich gegenseitig bedingenden Motiven) in manchen von Hölderlins Gedichten eine Wirkung auf Heym gehabt hat. Wenn in *Brot und Wein,* in der berühmten ersten Strophe, die Nacht in einem alltäglichen Rahmen beschworen wird, dann ist sie doch auch schon »die Schwärmerische« und »die Fremdlingin unter den Menschen«, hat also eine mythische Qualität, die dann in der zweiten Strophe zur Geltung kommt. Diese mythische Qualität lockt den Traum von Griechenland hervor, der wiederum die götterlose Zeit der Gegenwart zum Bewußtsein bringt, in der Christus, Brot und Wein und der Weingott trösten können. Das mythische Motiv und die Rolle der gegenwärtigen Menschen stehen in einem ähnlichen Wechselverhältnis wie bei Novalis das mythische Nachtmotiv und das der Liebesvereinigung. Freilich tritt bei Hölderlin leicht ein Motiv stärker in den Hintergrund.

Es sei hier nur darauf hingewiesen, daß solche strukturellen Verhältnisse, die dem Gedicht seine Eigenwelt verschaffen, auch bei Hölderlin anzutreffen sind, natürlich nicht nur in *Brot und Wein*. Wollte ich hier eine Hölderlin-Interpretation einfügen, müßte ich auf Hölderlins eigene strukturelle Theorie und ihre Anwendungsmöglichkeit zu sprechen kommen. [77] Ihre Behandlung würde unverhältnismäßig viel Gewicht beanspruchen, weswegen ich an dieser Stelle davon absehen möchte. [78]

Hölderlin war des jungen Georg Heyms erklärter Lieblingsdichter. Eine einzige Tagebuchstelle aus dem Jahre 1906, Heym war noch nicht ganz 19 Jahre alt, berichtet von der Lektüre des *Heinrich von Ofterdingen*. [79] Die zweite und dritte Strophe des folgenden Gedichtes dürfte eine Reminiszenz aus Hardenbergs Roman sein, obwohl auch eine andere Vermittlung des Motivs in Frage kommt. Das Gedicht entstand im Juli 1911, wenige Monate vor Georg Heyms Tod.

> Deine Wimpern die langen . . .
>   An Hildegard K.
>
> Deine Wimpern, die langen,   (1)
> Deiner Augen dunkele Wasser,
> Laß mich tauchen darein,
> Laß mich zur Tiefe gehn.
>
> Steigt der Bergmann zum Schacht   (2)
> Und schwankt seine trübe Lampe
> Über der Erze Tor,
> Hoch an der Schattenwand.
>
> Sieh, ich steige hinab,   (3)
> In deinem Schoß zu vergessen,
> Fern, was von oben dröhnt,
> Helle und Qual und Tag.
>
> An den Feldern verwächst,   (4)
> Wo der Wind steht, trunken vom Korn,
> Hoher Dorn, hoch und krank
> Gegen das Himmelsblau.
>
> Gib mir die Hand,   (5)
> Wir wollen einander verwachsen,
> Einem Wind Beute,
> Einsamer Vögel Flug,

Hören im Sommer   (6)
Die Orgel der matten Gewitter,
Baden in Herbsteslicht,
Am Ufer des blauen Tags.

Manchmal wollen wir stehn   (7)
Am Rand des dunkelen Brunnens,
Tief in die Stille zu sehn,
Unsere Liebe zu suchen.

Oder wir treten hinaus   (8)
Vom Schatten der goldenen Wälder,
Groß in ein Abendrot,
Das dir berührt sanft die Stirn.

Göttliche Trauer,   (9)
Schweige der ewigen Liebe.
Hebe den Krug herauf,
Trinke den Schlaf.

Einmal am Ende zu stehen,   (10)
Wo Meer in gelblichen Flecken
Leise schwimmt schon herein
Zu der September Bucht.

Oben zu ruhn   (11)
Im Hause der durstigen Blumen,
Über die Felsen hinab
Singt und zittert der Wind.

Doch von der Pappel,   (12)
Die ragt im Ewigen Blauen,
Fällt schon ein braunes Blatt,
Ruht auf dem Nacken dir aus.

Die Verse haben kein regelmäßiges Metrum, aber einen rhythmischen Grundtypus von drei Betonungen, der umspielt wird: einige Verse haben zwei, wenige vier (Vers 2 der ersten Strophe, Vers 2 der vierten Strophe, Vers 4 der achten Strophe). Nach einer Abweichung schwingt der Vers wieder in den Grundtypus zurück. Außerdem gibt es zwischen den tonschweren Silben ein- oder zweisilbige Senkungen. Auf diese Weise könnten die Verse jeder für sich auch metrisch gelesen werden. Der relativ freie Rhythmus hält die Erinnerung an Daktylen, Jamben, Trochäen, an traditionelle Lyrik mit regelmäßigem Metrum aufrecht. Das Gedicht hält so eine Mitte zwischen rhythmischer Freiheit und Gebundenheit.

Das Gedicht ist als Anrede an eine Geliebte durch den Untertitel kenntlich. Die Anrede wird durchgehalten bis zum Schluß. Das lyrische Ich kann sich mit der Situation identifizieren: in stummer Anwesenheit der Geliebten versucht der Sprecher, die Liebe zu beschwören. Aus dem Bild der letzten Strophe, dem fallenden Blatt, das auf dem Nacken der Geliebten »ausruht«, wird klar, daß diese Beschwörung mit dem Bewußtsein von Vergänglichkeit, Ende, Tod geschieht. Die Liebe wird nicht in ein dauerndes Bild gefaßt. Die Bilder werden hervorgerufen und entgleiten wieder.

Das wird schon in der ersten Strophe deutlich genug. Die langen Wimpern rufen die Geliebte hervor, das Bild wird zu »Augen« erweitert, den Augen wird die Metapher [80] »dunkele Wasser« beigesellt, die selbständig wird, zum Darin-Eintauchen verlockt und so auf die »Tiefe« verweist. Die Strophe wird durch ähnliche und gleiche Versanfänge, durch Alliterationen (Wimpern – Wasser; tauchen – Tiefe) und durch den vorherrschenden Rhythmus in Vers 1, 3 und 4 sehr stark integriert. Eine Gegenwirkung hat der zweite Vers, der nur dann mit drei Betonungen gelesen werden könnte, wenn man »Deiner« als Auftakt nimmt, was aber wegen des Gleichklanges mit dem ersten Vers nicht geht. Er fällt also rhythmisch aus dem Rahmen der drei Hauptbetonungen. Das im rhythmischen Sinne überzählige Wort ist »dunkele«, ein Wort, das, zusammen mit »Tiefe«, der Bergwerksmetapher in der zweiten Strophe und seinem Gegensatz von »Helle« und »Tag« (denen »Qual« assoziiert wird) in Vers 4 der dritten Strophe, die Erinnerung an romantische Vorstellungen aufruft. Die rhythmische Unsicherheit der beiden ersten Verse und das anschließende Einschwingen in den Rhythmus mit drei Betonungen hat eine große Wirkung, gerade in Verbindung mit der Semantik von »dunkele Wasser«. Dem Liebesgedicht wird von vornherein eine Unruhe unterlegt, die den Hörer hindert, sich ganz auf ein Idyll einzustellen.

Die zweite Strophe bestätigt diesen Eindruck und verdeutlicht ihn. Das Bergwerksbild war ausgelöst durch Vers 4 der ersten Strophe. Durch den a-Klang sind vier Wörter zusammengefügt, das letzte mit zwei a-Klängen, alle mit Betonungen: »Schacht«, »schwankt«, »Lampe«, »Schattenwand«. Die schwankenden Schattenbilder in der Tiefe des Schachtes, erzeugt von einer trüben Lampe, sind der vorherrschende Eindruck. Dem wirkt »über«, »Tor« und »hoch« sowie die »Erze« entgegen. Die Schatten haben auch etwas Kühnes, Ausgreifendes, das »Tor der Erze« etwas geheimnisvoll Versprechendes. Der Schauplatz des dunklen Schachtes, abgeschieden von der Tageswelt, eröffnet den Bereich des Imaginären, erinnert aber zugleich auch an Unterwelt und Tod.

In der dritten Strophe nimmt das lyrische Ich das Hinabsteigen zwar wieder in die erotische Situation zurück, hält aber die Verbindung mit der romantischen Situation der Abtrennung von der Tageswelt aufrecht, wie wir sie aus den *Hymnen an die Nacht* kennen, sei der Einfluß nun direkt oder nicht. Liebe und Abgeschiedenheit von Tageswelt und Gesellschaft werden verbunden. Das »Hinabsteigen« hält im Hintergrund eine Verbindung mit Unterwelt und Tod aufrecht.

Die drei ersten Strophen bilden eine Gruppe, die durch das Thema des Hinabsteigens und durch den Anruf an die Geliebte bestimmt ist. Dieser zieht sich auch durch die folgenden Strophen, bleibt jedoch von Strophe 4–11 im Bereich des Imaginären. Die Bilder in den ersten drei Strophen zeigten schon die Tendenz zum Eigenleben, wurden aber durch die dritte Strophe in die metaphorische Funktion zurückgenommen. Das Hinabsteigen in »die Tiefe« bedeutet das Freiwerden der Bilder im Imaginären. Das Schwankende, die Unruhe, die Tendenz gegen eine Idylle bleibt wirksam bis zum Schluß.

Die Strophen 4–6 bilden eine Gruppe, die aber nur schwach integriert ist, weil das Bild des Dornstrauchs am Ende der fünften Strophe zerfließt. Dieses Bild selbst ist ambivalent, denn der Dornstrauch »verwächst«, was in der fünften Strophe als Liebeszeichen gedeutet wird. Der Dornstrauch ist jedoch – außer daß er ein Dornstrauch ist – auch noch »krank«. Andererseits ist der Wind »trunken vom Korn«, ein Bild, das Dionysisches und wachsendes Reifen verbindet. Der Wind selbst ist aber auch wieder ein Zeichen des ungreifbar Vergehenden, der Vergänglichkeit. Dieser Charakter wird in Strophe 11 ganz deutlich. Der Dornstrauch wächst, um die Ambivalenz fortzuführen, »gegen das Himmelsblau«, eine Vorstellung, die in Strophe 6, Vers 4 noch einmal erscheint. In der letzten Strophe ragt eine Pappel in das »Ewige Blaue«. [81] Das Himmelsblau als Zeichen des Ewigen ist Orientierung des Vergänglichen. Der Dornstrauch wächst nur »gegen das Himmelsblau«, ebenso ist das »Baden im Herbsteslicht« (Strophe 6) kein Erreichen des Ewigen, sondern geschieht am »Ufer des blauen Tags«, ausdrücklich also am Rande.

Die fünfte Strophe beginnt mit einer Anrede, also einer Erinnerung an die Situation des lyrischen Ich, der Geliebten gegenüber. Diese Verständnisebene wird wachgehalten: »gib mir die Hand«. An dieser Stelle wird der Rhythmus unterbrochen. Wie später in dem ersten Vers der sechsten Strophe gibt es hier nur zwei Betonungen, zwischen denen zwei Senkungen liegen. Sogleich wird aber der Dreier-Rhythmus und der Bereich der Naturbilder wieder erreicht. Die Liebenden wollen wie Dinge der Natur sein, zunächst »verwachsen« wie der Dornstrauch, ausgesetzt, fern von menschlicher Umwelt, »einem Wind Beute«. Hier entgleitet das Dornstrauch-Bild, es verwandelt sich in den Flug einsamer Vögel, ein altes Bild für die Sehnsucht nach Entgrenzung. [82]

Mit »Hören« in Strophe 6 ist auch die menschliche Verständnisebene wieder angesprochen, dennoch darf der Leser das Vogelbild bis zum Ende der Strophe festhalten. Hat die beschworene Verwandlung des lyrischen Ich in den Flug »einsamer Vögel« die Sehnsucht nach Entgrenzung in die Nähe des »Ewigen Blauen« gebracht, so hindert die Ufer-Vorstellung, die im letzten Vers der sechsten Strophe heraufgerufen wird, die Entfaltung des Entgrenzungswunsches. Dem Sommer wird der Herbst entgegengestellt, also an Zeit, Jahreszeiten, Vergänglichkeit erinnert. Der Wind darf nicht sommerlich »trunken vom Korn« bleiben.

Die siebente Strophe endet das beschworene Bild des Vogelfluges und führt ein Brunnenbild ein. Die Ebene der menschlichen Situation wird wieder angesprochen, an die »dunkelen Wasser« der ersten Strophe erinnert, an die »Tiefe«. Aber »unsere Liebe« muß gesucht werden, kann also verlorengehen. Es folgt, durch »oder« angeschlossen, in der achten Strophe ein weiteres Bild, das die gleiche Gegensätzlichkeit ausdrückt. Aus dem Schatten »goldener Wälder«, [83] einer Art von Traumwelt, die aber zugleich mit dem natürlichen Bild des Herbstwaldes zu tun hat, treten die Liebenden hinaus und werden von einem Abendrot getroffen. »Groß« ist Adverb zu »hinaustreten«, bezeichnet offenbar ein großes Gefühl, eine hohe Stimmung. Es bildet mit den o-Klängen von »goldenen« und »Abendrot« ein Vokalthema. Das Abendrot, prächtig wie es sein mag, berührt die Stirn der Geliebten »sanft«. Der Rhythmus wird an dieser Stelle sehr deutlich unterbrochen. Man muß vier Betonungen lesen, von denen zwei in der Mitte zusammenstoßen. Dadurch entsteht ein Schnitt (»berührt ‖ sanft«), der eine Spannpause vor »sanft« bewirkt und so einen Gegensatz zu »groß« erzeugt. Die sanfte Berührung ist die Erinnerung, daß Abendrot »Ende« (Vers 1, Strophe 10) bedeutet.

In den vier restlichen Strophen, 9–12, ist vornehmlich von dem Bewußtsein des Endes die Rede, obwohl das Wort Tod ausgespart ist. Die Erinnerung an die vorangegangenen imaginären Naturbilder wird wachgehalten. Der erste Vers von Strophe 9 knüpft unmittelbar an den letzten Vers der achten Strophe an, an die sanfte Berührung also. Ihre

Wirkung ist »göttliche Trauer«, da von »ewiger Liebe« nicht die Rede sein kann. Das »schweige der ewigen Liebe« ist Anrede an die Geliebte, aber auch an das lyrische Ich, die beide (oder alle) voll »göttlicher Trauer« sind. Es bezieht sich zurück auf »unsere Liebe«, von der in Strophe 7 die Rede war. Ob es darüber hinaus eine Absage an religiöse Tröstungen mitenthält, bleibt offen. Auch das Heraufholen des Kruges (Vers 3, Strophe 9) bezieht sich auf das Brunnenbild der siebenten Strophe. Das Bild ist ja noch in Kraft, denn das der achten Strophe war ausdrücklich nur ein erläuterndes, zusätzliches Bild, das ausdrückte, wie Liebe auf »Tiefe« eingestellt ist, auf Zeitlosigkeit, auf Vergessen der Tageswelt, aber deswegen der Vergänglichkeit nicht entgehen kann. »Trinke den Schlaf« verweist auf die antike Lethe-Vorstellung.

Die Eckverse der neunten Strophe haben wieder zwei Betonungen. »Trinke den Schlaf« stimmt mit »Gib mir die Hand« (Vers 1, Strophe 5) rhythmisch überein. Nebeneinandergestellt weisen diese beiden Verse auf die Verwandtschaft von Liebe mit Vergessen, Schlaf, Tod ebenso wie »Hören im Sommer« (Vers 1, Strophe 6), ein idyllischer Aufschwung, in dem rhythmisch gleichen »göttliche Trauer« eine melancholische Antwort erhält. Der Trank aus dem Brunnen, in dem die Liebe gesucht wurde, ist Schlaf: zugleich Vergessenheit von »Helle und Qual und Tag« (Vers 4, Strophe 3), die das lyrische Ich in der Tiefe suchte, und ein Zeichen des Endes, des Ruhens (vgl. Vers 1, Strophe 11), des Todes.

Ein zu mildes Zeichen, das noch einmal leicht korrigiert wird. Der erste Vers der zehnten Strophe bezieht sich durch das Wort »stehen« auf den ersten der siebenten Strophe zurück. Der »dunkele Brunnen«, die Tiefe des »dunkelen Wassers« waren Zeichen des Imaginären, der poetischen Verwandlung, die, wie von selbst, immer wieder auf das Störende, das Schwankende, das Vergängliche und den Tod verwiesen hatten. Der Tod zeigt sich hier als das Meer des Nichts, das in eine Bucht hineinschwimmt, die mit »September«, schönem Frühherbst, bezeichnet wird. Vers 4 in Strophe 10 soll an das »Ufer des blauen Tags« und das Herbsteslicht (Vers 3–4, Strophe 10) erinnern. Unheimlicherweise ist das Meer nicht rein, sondern zeigt »gelbliche Flecken«. [84]

Die elfte Strophe spricht in dem »Hause der durstigen Blumen« vom Grab, und zwar einem einsamen Grab im Gebirge, womit der Zug zur Distanz von Tageswelt und Gesellschaft fortgesetzt wird. Der erste Vers ist wieder von derselben rhythmischen Gestalt wie »Trinke den Schlaf« (Vers 4, Strophe 9) und »Gib mir die Hand« (Vers 1, Strophe 5), nur wenig verschieden von »Höre im Sommer« (Vers 1, Strophe 6) und »göttliche Trauer« (Vers 1, Strophe 9). Die zweihebigen

Verse stellen Liebesausdruck, Naturbild und Todesmotiv am eindrucksvollsten hin, wobei am Ende das Todesmotiv überwiegt. Das Motiv wird jetzt als Zeichen der Vergänglichkeit, auch des Ungreifbaren, Amorphen, deutlicher. In »Singt und zittert« ist die Ambivalenz des Gedichtes fast in eine greifbare Formel gebracht. Auch die »negativen« Zeichen sind nicht eindeutig. Dem Wind ist Singen erlaubt, wie statt des fleckigen Meeres die »durstigen« Blumen als Todessymbol erscheinen, sie trinken den Schlaf und die Liebe (Vers 4, Strophe 9 und Strophe 7), sie bestätigen dem lyrischen Ich am Ende das Recht, den Ausdruck der Liebe als imaginäre Vereinigung mit Naturbildern gesucht zu haben.

Die letzte Strophe ist durch »Doch« von dem Bereich des Imaginären abgesetzt. In der Situation des lyrischen Ich, der Geliebten gegenüber und ganz im Leben, fällt ein Blatt von einer Pappel, die ins »Ewige Blaue« ragt wie der Dornstrauch. Das fallende Blatt weist auf das Ende des Sommers und darauf, daß der im Imaginären vorweggenommene Tod auch in der gegenwärtigen Situation wirksam ist, daß die Verbindung von Liebe und Tod im Gedicht zwar im Bereich des Imaginären besonders intensiv beschworen werden konnte, aber außerhalb dieses Bereiches gilt, wenn auch zumeist verdeckt. Darum »ruht« (vgl. Vers 1, Strophe 11) das Blatt »aus« auf dem Nacken der Geliebten, von ihr selbst nicht gesehen. Das Wort »ausruhen« weist überdies nur auf ein vorübergehendes, augenblickliches Vorhandensein des Blattes. Auch das Zeichen des Todes stellt sich nicht als endgültige Wahrheit dar. Der letzte Vers hat zwei Daktylen und eine katalektische Hebung: er ist identisch mit der Hälfte eines Pentameters. Da zweisilbige Senkungen durch das ganze Gedicht bemerkbar waren, erinnert der letzte Vers von ferne an die antike Elegienform. Beide thematische Assoziationen, die wir mit Gedichten der Elegienform verbinden, die Idylle und die Klage, können wir auch auf unser Gedicht anwenden. Die von Anfang an spürbare Unsicherheit, die sich in rhythmischen Abweichungen vom Haupttypus und in der Ambivalenz vieler Bilder äußerte, war ein Anzeichen, daß die imaginäre Idylle durch das ganze Gedicht unter dem Zeichen der Vergänglichkeit stand. Die Todesklage wiederum geschah in der Weise der Idylle, des Einsseins mit der Natur als Zeichen des Einverständnisses mit dem Leben auf ein Ende hin. Der Wechsel der Bilder in diesem Gedicht unterstreicht den momentanen Charakter seiner Gegenwelt.

VIII

Ausgesetzt auf den Bergen des Herzens. Siehe, wie klein dort,
siehe: die letzte Ortschaft der Worte, und höher,
aber wie klein auch, noch ein letztes
Gehöft von Gefühl. Erkennst du's?
5 Ausgesetzt auf den Bergen des Herzens. Steingrund
unter den Händen. Hier blüht wohl
einiges auf; aus stummem Absturz
blüht ein unwissendes Kraut singend hervor.
Aber der Wissende? Ach, der zu wissen begann
10 und schweigt nun, ausgesetzt auf den Bergen des Herzens.
Da geht wohl, heilen Bewußtseins,
manches umher, manches gesicherte Bergtier,
wechselt und weilt. Und der große geborgene Vogel
kreist um der Gipfel reine Verweigerung. – Aber
15 ungeborgen, hier auf den Bergen des Herzens... [85]

Unüberhörbar sind die eingestreuten Daktylen. Der erste Vers hat
sechs Hebungen mit einem deutlichen Schnitt vor der fünften Hebung.
Man könnte den Vers als Hexameter ansprechen, freilich hemmt die
Lage des Schnittes das Fließen allzu stark. Die folgenden Verse bestätigen die Erwartung klassischer Langverse nicht, sie werden um je eine
Hebung verkürzt, Vers 4 ist dreihebig und hat Auftakt. Die folgenden
Verse haben drei bis fünf Hebungen. Daktylen finden sich bis zum
Schluß neben Trochäen. Auftakt haben drei Verse (4, 10, 11). Vers 8
ist ein unvollständiger Pentameter: die Hebungen »Kraut« und
»sing(end)« stoßen zusammen, jedoch ist die zweite Vershälfte um
eine Hebung mit zugehörigen Senkungen verkürzt. Auch hat in der
ersten Vershälfte die zweite Senkung nach der ersten Hebung den
Wort-Hauptton von »unwissend«, so daß dieses Wort in seinen beiden
ersten Silben gleich schweren Ton hat, eine weitere Verfremdung des
Pentameters, der dennoch erkennbar bleibt. Zwei Hebungen stoßen
auch in Vers 12 zusammen: (um)her, man(ches), auch dies eine Erinnerung an den Schnitt im Pentameter, diesmal ist die zweite Hälfte sogar
eine korrekte Erfüllung dieses Versmaßes. Wir haben also nur eine
Anspielung auf Elegienverse vor uns. Rilke muß erwogen haben, das
Gedicht in die *Duineser Elegien* einzuordnen, weil eine Abschrift in

einem Gedichtbuch für Lulu Albert-Lasard den Vermerk enthielt: »Aus den *Elegien.* Abschrift«.[86]

Wie in den *Duineser Elegien* ist die Anspielung auf die klassische Formbeherrschung in antiken Versgebilden zweideutiger Natur. Eine Tradition wird gezeigt, aber dem Leser zugleich entzogen. Unter der Annäherung an die deutsche Tradition, die man in den Jahren nach dem *Malte Laurids Brigge* bei Rilke feststellen kann,[87] läuft eine Gegenbewegung, motiviert durch Rilkes Antipathie gegen Tradition als Bildungsbesitz, gegen billige Anpassung der Kunst an das gesellschaftliche Leben in der Form eines Kompromisses, gegen die Leugnung der Feindschaft zwischen dem »Leben« und der »großen Arbeit«.[88]

So sind auch die Langzeilen der *Duineser Elegien* gemeint. Sie zeigen eine Tradition, die kein sicherer Besitz sein kann, weil jeder sichere Besitz, jeder eindeutige Sinn des menschlichen Daseins sich dem Zugriff entzieht. Die klassisch-erhabene Stellung der Kunst ist sogar für den kunstbesessenen Rilke so selbstverständlich nicht, ebensowenig das Paradox der fragwürdigen Rechtfertigung des schwindenden Daseins durch den fragwürdigeren Künstler, das Thema der Elegien. Aus dieser Lage aber auf Formzersetzung, endgültige Absage an eine Tradition zu schließen, wäre gerade im Falle Rilkes ganz verfehlt. Die Tradition wird zerbrochen, weil sie besteht.

Rilke war mit klassischen Langzeilengedichten in der Zeit nach dem *Malte* vor allem durch Klopstock und Hölderlin, daneben auch durch Goethe in Berührung gekommen. Der eigenartigen Zweideutigkeit in Rilkes Umgang mit klassischer Tradition (soweit man Hölderlin dazu rechnen kann) entspricht es, daß er aus dieser Tradition vornehmlich Motive entnimmt, die in seine Welt passen, aber nicht zum allgemeinen Bildungsbesitz gehören. In unserem Gedicht läßt sich der Gedanke einer Landschaft des Herzens, einer »unsichtbaren Landschaft« (wie es in dem wenige Monate früher – Juli 1914 – geschriebenen Gedicht *Klage* [89] heißt) auf Klopstock zurückführen,[90] das Motiv der Gebirgslandschaft vermutlich auf die erste Strophe von Hölderlins *Patmos* [91] und Goethes *Euphrosyne;* [92] das Motiv der Einsamkeit, das Rilke ohnehin nahelag, und besonders in den Wochen nach dem Kriegsausbruch, fand er in Leben und Dichtung Hölderlins wieder. Auch im letzten Brief des *Hyperion,* ein Buch, das Rilke in Irschenhausen im August 1914 las, nicht lange vor der Niederschrift unseres Gedichtes, wird Einsamkeit mit dem Gebirgsmotiv verbunden, allerdings ist die Natur hier tröstend.[93]

In Rilkes Gedicht wird zum Gegenstand der Klage, was im *Hyperion* Trost, in Goethes *Euphrosyne* eine Ausnahmesituation war: der nächtlich einsame Wanderer strebt auf eine Hütte zu, die Herberge und Schlaf verspricht. Zwar erreicht er sie nicht, aber am Ende, als »unbezwingliche Trauer« den Sprecher befällt und nur »ein moosiger Fels« den Sinkenden stützt, kündigt sich der Morgen an; Licht ist göttliche Befreiung für Goethe.[94] In Hölderlins *Patmos* bittet der Sprecher um Aufhebung des Schicksals »ermattend auf / getrenntesten Bergen« zu wohnen. Rilke läßt in *Ausgesetzt auf den Bergen des Herzens* keine Hoffnungen zu. Jedenfalls nicht in dem Gedicht, wie Rilke es veröffentlichte. In den Entwürfen fanden sich Versuche, Gegenmotive in das Gedicht hineinzubringen: Erinnerungen an ein Lächeln, das geneigte Augen dem Sprecher »vom Antlitz gepflückt« haben, das zärtliche Weinen »in den Tälern des Herzens«. Aber diese sentimentalen Kontraste wurden ebenso verworfen wie ein Versuch, auszudrücken, daß der Sprecher »dennoch« lieben könne, aber dann wieder »unter die zehrenden Nächte / unter den brennenden Mond« verstoßen werde.[95] Dieses Gegenmotiv ging, stark abgeschwächt als »Duft der Täler«, in ein Gedicht an Lulu Albert-Lasard ein.[96]

Daß solche Gegenmotive verworfen wurden, ist ein Glück. Hätte Rilke der Versuchung nachgegeben, das Gedicht fortzusetzen, weil es biographisch mit dem Ausgesetztsein inmitten der neuen Liebe zu Lulu Albert-Lasard nicht stimmen wollte, so wäre die Struktur gestört worden, das Zentrum des Gedichtes hätte sich verschoben. Trotz der versuchten Gerechtigkeit gegen das eigene Leben wäre der Ausdruck des Selbstmitleids nach vorne gerückt. Damit wäre ein epischer Zug in das Gedicht hineingekommen, der die Beschwörung eines Momentes, die lyrische Fiktion, aufgelöst hätte. Man könnte dann der Anspielung auf klassische Elegienverse, den Erinnerungen an Goethe und Hölderlins Hoffnungen, wie sie sich aus dem Motiv ergeben, nicht mehr folgen. Denn es ist die Erinnerung an klassisches Maß, an die Einfachheit, mit der Landschaft im klassischen Gedicht in die Sprache gebracht werden kann, an die Hoffnung, zu der das dichterische Wort Goethe und selbst Hölderlin berechtigte, die dem »Ausgesetztsein« strukturellen Hintergrund geben. Dem widerspricht nicht, daß die Anspielung auf den Elegienvers im Rahmen der *Duineser Elegien* geschieht. Denn einmal gilt die strukturelle Anspielung auf die Tradition auch für diese, wenn auch nicht überall gleich, dann aber hat sich unser Gedicht verselbständigt, als es nicht in die Elegien eingefügt und selbständig veröffentlicht wurde. Es war ein eigenes Gedicht und widerstand dem Versuch der Fortsetzung wie dem der Eingliederung.

Der Satz »Ausgesetzt auf den Bergen des Herzens« bezieht das Ich des Sprechers in das Bild ein. Das ruft eine augenblickliche Orientierungslosigkeit im Leser hervor, besonders weil das Ich-Subjekt fehlt. Aber der Leser ist offensichtlich aufgerufen, sich mit der Situation des Ausgesetztseins zu identifizieren. Das lyrische Ich stellt sich her und wird durch den Imperativ »siehe« bestätigt, der in Vers 2 wiederkehrt, mehr noch durch die Anrede »Erkennst du's?« Das »hier« im letzten Vers weist auf den beschworenen lyrischen Moment hin, der sich »hier« in der inneren Landschaft vor Sprecher und Leser verwirklichte. Daß der Sprecher sich als »der Wissende« und als »der zu wissen begann / und schweigt nun« (Vers 9–10) bezeichnet, bringt für Augenblicke eine Trennung des Sprechers vom Leser in die Schwebe. Hier ist der strukturelle Ansatz für die autobiographischen Motive in den Entwürfen. Es kommt aber weder zur autobiographischen Erzählung noch zur Belehrung des Lesers. »Der Wissende« bleibt distanzierende Selbstanrede des lyrischen Ich, das die Situation des Ausgesetztseins im Sichselbst-gegenüber-Sein sprachlich faßt.

Die Eigenart des Gedichtes ist, daß die lyrische Fiktion der Landschaft durch ihre Deutung gestört wird. Es ist an sich nichts Besonderes, daß die Landschaft Zeichenfunktion hat. Auch das klassische Gedicht hat es nicht mit einer absoluten Wirklichkeit, die Landschaft heißt, zu tun, es benutzt Landschaftsmotive für seine Intention. Die nächtlicheinsame Gebirgslandschaft in Goethes *Euphrosyne* hatte eine Hintergrundsfunktion. Nur der »ausgesetzte« Dichter als Wanderer konnte den Aufruf der jungen Toten vernehmen. In Hölderlins *Patmos* (das man nur mit Vorbehalten zu den klassischen Gedichten rechnen kann) war das Bild des Verdurstens auf getrennten Bergen metaphorischer Ausdruck des religiösen Bedürfnisses. In den beiden Landschaftsgedichten Goethes, die wir eingangs betrachteten, erschien die Landschaft selbständiger, war aber auch Zeichen, in beiden Fällen, für das religiöse Grundmotiv der Resignation, der Aufgabe des selbstherrlichen und selbstbefangenen Ich. In *Dämmrung senkte sich von oben* war die Landschaft Zeichen für das Schwinden der weltlichen Orientierungen. Ein Teil der Landschaft (die Weiden) wurde zum Zeichen erotischer Verfangenheit im Leben, die aber sogleich zu »bewegter Schatten Spiele« unter dem Zauberschein des Mondes reduziert wurde. Die »Kühle« der Nacht, als Zeichen dieser resignativen Reduktion, verwandelte »sänftigend« das Herz. Auch hier wurde die Deutung des Gedichtes zur Sprache gebracht, der Zeichencharakter der Landschaft wurde erkennbar. Dabei war die Resignation nicht etwa belehrendes Ziel des Gedichtes, denn erotische Verfangenheit, die Spiele der bewegten Schatten blieben anwesend und wirksam, waren als Gewichte nötig. Die Resignation war keine asketische Lehre, sondern sie bezog das Erotische als ein nicht Festhaltbares in die sprachlich geformte Gestalt ein. Ähnliches fanden wir in *Einsamer nie* – von Benn, wo das »Glück« in Landschaft und Liebe von dem »Gegenglück« untrennbar war. Die Verwandlung einer enthusiastisch erlebten, also episch-fiktiven Landschaft in eine lyrisch-fiktive, haben wir in *Auf dem See* vor uns. Die lyrische Fiktion des beschworenen Momentes ist in allen diesen Beispielen strukturiert. Die sprachlichen Elemente sind als Gewichte verteilt und bedingen sich gegenseitig. Die Struktur ist die Orientierung, die diese Gewichtsverteilung bestimmt, sie setzt sich zusammen aus der Intention des Dichters und den Möglichkeiten der Sprache (zwei Aspekte, die nicht streng geschieden werden können). Folgt die Landschaft im Gedicht der Intention und nicht umgekehrt, so ist sie in allen angeführten Gedichten Landschaft des Herzens, innere Landschaft. Es gilt für die meisten, wenn nicht alle Lehren Rilkes, daß sie nicht so neu sind, wie die verehrenden Anhänger meinen. Sie haben an sich wenig Wert, können aber als Intentionen faszinierende Gedichte hervorrufen.

Die Eigenart der »inneren« Landschaft in *Ausgesetzt auf den Bergen des Herzens* ist, daß sie nicht metaphorisch-flüchtig sich dem Ausdruck des Intendierten unterordnet (wie in dem zuvor betrachteten Gedicht Heyms), sondern einerseits konsequent ein bestimmtes Landschaftsbild heraufruft, andererseits immer wieder daran erinnert, daß diese Landschaft zu deuten ist. Den sprachlichen Ausdruck der Zeichenfunktion fanden wir schon am Schluß von Goethes *Dämmrung senkte sich von oben*, in Rilkes Gedicht ist er von Anfang an da, hat also eine besondere strukturelle Funktion.

Diese Funktion entspricht der Erinnerung an die Form der klassischen Elegie, die durch metrische und rhythmische Anspielungen hervorgerufen, aber nirgends erfüllt wurde. Das lyrische Ich wird zwischen dem Bedürfnis, das Bild als Ganzes in der Weise klassischer Dichtung entstehen zu lassen und den geradezu allegorischen Deutungen von Einzelheiten (»Berge des Herzens«, »Ortschaft der Worte«, »Gehöft von Gefühl«) hin- und hergerissen. Es genügt freilich, diese Störfunktion im Anfang des Gedichtes zu konstituieren. Von Vers 5 an wird sie nur noch durch die Wiederkehr der »Berge des Herzens« weitergeführt. Sie wirkt sich noch auf das »unwissende« Kraut aus und das zugehörige adverbial gebrauchte »singend« (Vers 8). Beide Ausdrücke könnten sonst metaphorisch in das Berg-Bild eingeordnet werden. Auch in Vers 11–14 ist die Störfunktion fast verschwunden, das Bild entwickelte sich freier. Statt störender allegorischer Hinweise erinnern Attribute (»heilen Bewußtseins«, »gesichert«, »geborgen«) an die Zeichenfunktion der Tier-Bilder: das Tier wird in seinem Anderssein angesprochen. So wird dem Bild gestattet, trotz der scheinbar allegorischen Deutung, ein relatives Eigenleben zu führen.

Den strukturellen Eigenwert des Berg-Bildes erkennt man, wenn man ihn für einen Augenblick absolut setzt und von der angenommenen »klassischen« Geschlossenheit des Bildes auf die allegorischen Deutungen blickt. »Ortschaft der Worte« wäre dann recht wörtlich begreiflich als eine sichtbare Ortschaft, wo Menschen oft nutzlos reden, »viele Worte gemacht« werden, im Gegensatz zu der einsamen Stelle an der Vegetationsgrenze, dem »hier« der lyrischen Fiktion. »Gehöft von Gefühl« wäre ein einsam gelegener Bergbauernhof, in dem nicht viel gesprochen wird, der aber seinen Bewohnern ein starkes Heimatgefühl gibt.[97] Gefühl ist ja die Weise des Sich-Befindens in der Welt, das alles, was uns begegnet, in seiner Weise färbt. Nicht auf diese Weise erklärbar ist freilich die grundlegende Deutung: »Berge des Herzens«. Überhaupt wirkt die angeführte Deutung primitiv. Sie soll uns nur dazu dienen einzusehen, daß das Berg-Bild nicht ins Abstrakte übersetzbar, also keine Allegorie ist, sondern strukturelles Eigengewicht hat.[98]

Das Ausgesetztsein ist Trennung von der Menschenwelt, von den Worten, die Miteinanderleben möglich machen, von der Sicherung eines Gefühls, das Aufgehobensein in Liebe, Haß, Nationalgefühl (das Gedicht ist im September 1914 geschrieben), Heimat verspricht, es ist aber auch Getrenntsein von der Natur, deren Anderssein schmerzlich bewußt wird, wie später in der *Achten Elegie*. Die Natur ist *trotz* dieses Andersseins Ausdruck des lyrischen Ich, des »Herzens«. Eben dies trennt das lyrische Ich in *Ausgesetzt auf den Bergen des Herzens* von dem eines klassischen Landschaftsgedichtes. Die Natur der Berg-Welt bietet sich als Ausdruck an und entzieht sich zugleich.

Die Resignation Goethes führte zur Hingabe des Ich an die Wahrheit und Ordnung des Seins, die er in der Natur sah. Rilke sieht die Tiere in der Natur gesichert, weil es ihnen am »Gegenüber« *(Achte Elegie* [99]*)* des Bewußtseins fehlt; sofern sie sind, sind sie im Recht. Das menschliche Bewußtsein, wenn es weiß, vielmehr, da auch Wissen keine Wahrheit gibt, zu wissen beginnt (Vers 9), ist außerhalb dieser Selbstverständlichkeit. Sein »Singen« als Dichtung ist ebenso »unwissend« wie das Blühen des Krauts (Vers 8), weil das Gedicht sich von der Umgebung absondert, aus dem »Steingrund« wächst (Vers 5–8), das Ganze nicht ausdrücken kann, sondern zu ihm in Gegensatz steht. Das Gedicht kann gewissermaßen »blühen«, schöner Ausdruck sein, aber nicht das Ganze deuten und damit heimisch machen, die Ungeborgenheit des Ausgesetzten nicht erlösen, wenn es Natur mit menschlicher Sprache ins Imaginäre übersetzt.[100] Das unwissende Kraut blüht und nichts weiter. Für den wissenden Menschen aber gilt: »Blühn und Verdorrn ist uns zugleich bewußt« *(Vierte Elegie* [101]). Der sprachliche Ausdruck ist also in gewissem Sinne immer unwahr, besonders dann, wenn er ein seiendes Ganzes im schönen Ausdruck des Gedichtes vorspiegelt. Das ist wohl der Inhalt des Wissens (Vers 9) und der Grund des Schweigens (Vers 10). Obwohl man dieser Deutung vorwerfen kann, zu weit über das Gedicht hinauszugehen, scheint es mir, daß aus Gedanken dieser Art die Intention des »Ausgesetztseins«, der Ungeborgenheit hergeleitet werden kann. Die Deutung wird gestützt durch die *Duineser Elegien* und durch die Situation der von Nietzsche [102] beeinflußten deutschen Literatur dieser Zeit überhaupt.

Die Natur als Zeichen des Seins als Ganzem, das sich entzieht, wird in Vers 14 durch das Bild der Gipfel angerufen, die »reine Verweigerung« sind. Die Gipfel verweigern sich nicht auf menschliche Weise durch Haß oder Verachtung, die ja immer noch menschliche Beziehungen ausdrücken, sondern einfach, weil sie Gipfel sind, eindeutig, weil sie sind, was sie sind.[103] Hier wird die Beziehung zu Rilkes Grabschrift deutlich, zu dem »reinen Widerspruch«, daß Rosen Lust haben zu sein, was sie sind, und nicht jemandes »Schlaf« zu bedeuten, wie sehr Blütenblätter auch Lidern ähnlich sein mögen. Die Grabschrift und unser Gedicht unterhalten enge thematische Beziehungen untereinander.

So ergibt sich dieses Verhältnis zwischen dem Thema des Ausgesetztseins des lyrischen Ich und dem Bild der Berglandschaft: Das Gedicht beschwört den Moment eines lyrischen Ich, das sich in der Isolierung findet. Es fühlt sich getrennt von der alltäglichen Kommunikation mit den Mitmenschen und nicht gesichert in einem Heimatgefühl (im weitesten Sinne einer menschlichen Sicherung, Geborgenheit in einer Liebesbeziehung einschließend). Das lyrische Ich greift zu dem Bild einer einsamen Stelle im Hochgebirge an der Vegetationsgrenze, wo es Steingrund unter den Händen fühlt, einzelne Bergblumen ihren Platz gefunden haben, wo Bergtiere ihre Heimat haben, wo der Blick zum menschlichen Bereich hinab und zu den Gipfeln hinauf geht, die von Vögeln umkreist werden. Der Vogel ist das Zeichen der Entgrenzung für uns, er lenkt den Blick auf die »reine Verweigerung«, das Unbegreifliche des Seins als Ganzem. Der Vogel selbst ist aber »geborgen«, als Tier gesichert vor dem Ausgesetztsein, der Existenzangst des wissenden Menschen.

Das Bild bietet sich als ein schönes Landschaftsbild an, das, durch Sprache integriert, das Menschliche durch das Zeichen der Landschaft ausdrückt. Würde das Bild so ergriffen, dann ginge gerade verloren, was ausgedrückt werden soll: das Ausgesetztsein. Denn die steinige

Gebirgslandschaft ist einsam nur im Vergleich mit der Menschenwelt. An sich ist sie die richtige Stelle für blühendes Kraut, Bergtier und Vogel. Wird sie zum Ausdruck des menschlichen Ausgesetztseins, ist sie nicht mehr, was sie ist. Aber die Lust am Ausdruck greift dennoch nach ihr. Die paradoxe Situation entsteht, daß das lyrische Ich sein Schweigen-Müssen im Dennoch-Reden dokumentiert. Die Landschaft kommt zum Ausdruck und erinnert schon dadurch an die klassische Weise, wie Landschaft ins Wort gebracht wird.

Die formale Anspielung auf Elegienverse soll, wie auch in den *Duineser Elegien,* die Erinnerung an eine harmonische Klassik im Leser anregen, in der die Natur als wahr und seiend dem Menschen ein Maß setzt, dem der sprachliche Ausdruck durch die Zucht der Form gerecht wird. Die Klassik kann andererseits eng und »häuslich« wirken, weil sie »Teilnehmende«[104] an der Natur voraussetzt, sich die Andersartigkeit und Unangemessenheit der Natur für den Menschen idyllisch zu verschleiern geneigt ist, auch weil sie an dem Glauben festhält, das Sein als Ganzes sei zugänglich.

Der Elegienvers ist eine klassische Form, seine traditionellen Inhalte sind Idylle und Klage. Diese traditionelle Zweideutigkeit erweist sich als passend. Idylle und Klage über die Unmöglichkeit für den Menschen, an der Naturidylle teilzunehmen, werden aufeinandergelegt. Die Idylle kann sich nicht verwirklichen, weil die Klage über die Unmöglichkeit, die »gedeutete Welt«[105] zu transzendieren, sie behindert. Dem dienen die störenden allegorischen Deutungen und die unvollständigen Verse.

Alles kommt aber darauf an, zu verstehen, daß Rilke mit einem lyrischen Ich aus Autor und Leser rechnet, das die gleiche Tradition teilt, das die Anspielungen auf den klassischen Gleichklang von Kunst und Natur versteht und als Gegengewicht in das Gedicht einbezieht. Das Gedicht erkennt im Singen des unwissenden Krautes den klassischen Gleichklang von Natur und Kunst an und entzieht ihm doch den Glauben der ästhetischen Religion, daß das Gedicht das Sein als Ganzes deuten könne. Von der auf störende, aufdringliche allegorische Weise gedeuteten Landschaft, den »Bergen des Herzens«, »der Ortschaft der Worte«, dem »Gehöft von Gefühl«, wird das lyrische Ich an die Gipfel der reinen, nicht menschlichen, schuldlosen Verweigerung gewiesen, das Nichtverstehen des Seins als Ganzem.

Die Klage über das Ausgesetztsein, über die Unmöglichkeit, sich mit (wahren) Worten verständigen zu können, schweigen zu müssen, ist an die Grenze des Ernstes getrieben, bleibt, weil sie Kunst ist, aber Spiel, ist letztlich unverbindlich. Wäre sie das nicht, schwiege sie tatsächlich.

Hier findet weder Geschichte statt, noch ist eine Sprachkrise »wirklich« vorhanden. Hier wird ein lyrischer Moment beschworen, in dem das lyrische Sagen auf dem Hintergrund der Entdeckung des Perspektivismus gesehen wird, der wahres Sagen ausschließt und nur unwissendes Singen erlaubt. Die Kunst mag schön sein, ändert aber nichts. Man kann auch sagen: die Klage dieses Gedichtes ist mit hervorgerufen durch das Bewußtsein der völligen Wirkungslosigkeit einer noch so intensiven Kunst in der alltäglichen Umwelt. Diese Formulierung trägt der biographischen Situation Rilkes Rechnung, der im September 1914 nach kurzfristigem Staunen über den Gott des Kriegsaufbruchs sich entschloß, sich und seine Kunst überstehend zu bewahren. Er habe, so schrieb er drei Tage vor der Entstehung unseres Gedichtes, das Gegenteil der Teilnahme am gemeinsamen Geschick (zur Zeit des Kriegsausbruchs) auszuhalten: »den Rückschlag aus dem allgemeinen Herzen in das aufgegebene, in das verlaßne, namenlose eigne Herz.« [106]

Rilke hat ungefähr zur gleichen Zeit [107] ein anderes Gedicht geschrieben, das auch lyrisches Sagen in Worten, die aus »der schönen Schöpfung Bild« gekommen sind, zum Gegenstand hat:

> Es winkt zu Fühlung fast aus allen Dingen, (1)
> aus jeder Wendung weht es her: Gedenk!
> Ein Tag, an dem wir fremd vorübergingen,
> entschließt im künftigen sich zum Geschenk.

> Wer rechnet unseren Ertrag? Wer trennt (2)
> uns von den alten, den vergangnen Jahren?
> Was haben wir seit Anbeginn erfahren,
> als daß sich eins im anderen erkennt?

> Als daß an uns Gleichgültiges erwarmt? (3)
> O Haus, o Wiesenhang, o Abendlicht,
> auf einmal bringst du's beinah zum Gesicht
> und stehst an uns, umarmend und umarmt.

> Durch alle Wesen reicht der *eine* Raum: (4)
> Weltinnenraum. Die Vögel fliegen still
> durch uns hindurch. O, der ich wachsen will,
> ich seh hinaus, und *in* mir wächst der Baum.

> Ich sorge mich, und in mir steht das Haus. (5)
> Ich hüte mich, und in mir ist die Hut.
> Geliebter, der ich wurde: an mir ruht
> der schönen Schöpfung Bild und weint sich aus. [108]

Auch hier ein klassischer Vers: fünffüßige Jamben, übrigens auch ein Versmaß der *Duineser Elegien* (der vierten und achten), mit metrischen Drückungen und rhythmischen Variationen, aber grundsätzlich ungestört, in vierzeiligen Strophen, wie in vielen klassischen Gedichten. Der Sprecher spricht zwar von »uns«, beschwört aber nicht einen lyrischen Augenblick, sondern spricht eher in der Rolle des Belehrenden, am Ende nur in der ersten Person. Tatsächlich spricht er von seiner Aufgabe als Dichter. Man kann sich entweder belehren lassen, oder man stellt ein lyrisches Ich her, indem man sich mit dem Dichter identifiziert. Das erstere ist wohl vorzuziehen. Das Gedicht ist ein Programmgedicht und darum auch wesentlich eindeutiger als *Ausgesetzt auf den Bergen des Herzens*. Dennoch gehört es komplementär zu diesem Gedicht, auch im Hinblick auf die Elegien. Denn besonders unter den letzten Elegien 7—10 herrscht eine Dialektik. Die Negation der achten und die Position der neunten Elegie stehen in einem ähnlichen Verhältnis zueinander, sie sind entgegengesetzt und komplementär.

Der Dichter ist Geliebter und fast alle Dinge, »der schönen Schöpfung Bild«, die Geliebte. Dieses mystische Bild entwickelt sich in den Strophen 1 und 3 und wird in den beiden letzten Versen der letzten Strophe ausgesprochen. Ein deutender Gedankenzug beginnt mit Fragen in Strophe 2, deren Antwort schon in Vers 4 der Strophe ausgesprochen wird: eines erkennt sich im anderen. Dieser Gedanke enthält die Erlaubnis, auch für den Menschen, sich im andern, also in der Natur zu erkennen, sich also im Gedicht durch Naturdinge, Dinge der Welt überhaupt, auszudrücken, was in der vierten Strophe und den beiden ersten Versen der fünften ausgeführt wird. Das berühmte Formelwort dafür heißt »Weltinnenraum«.

Die Berühmtheit dieses Begriffes rührt von dem Wortspiel mit Weltraum her, das den Begriff sehr modern erscheinen läßt. Mit »Weltraum« im Sinne des Bereiches jenseits der Lufthülle unserer Erde unterhält unser Gedicht höchstens eine sehr lose Verbindung. Wie der Weltraum alles enthält, so sollte auch der Weltinnenraum nichts ablehnen. Ein solcher Versuch war aber mit *Malte Laurids Brigge* auf der fiktiven Ebene zugrunde gegangen, und es heißt ja auch vorsichtshalber im ersten Vers »fast aus allen Dingen«. »Weltinnenraum«, eine etwas billige Formel, [109] bezeichnet die Verfügbarkeit der Dinge im Gedicht, während *Ausgesetzt auf den Bergen des Herzens,* die Grabschrift und die *Achte Elegie* die Inkongruenz zwischen Mensch und Naturding betonen.

Von Ausgesetztheit kann in *Es winkt zu Fühlung* ... keine Rede sein, im Gegenteil. Und doch beruhen beide Gedichte auf der Voraussetzung, daß Rilke, wie der klassische Dichter, sich der Naturdinge bemächtigt, um einen Moment lyrisch beschwören zu können. In *Ausgesetzt auf den Bergen des Herzens* sind die ins Allegorische getriebenen Zeichen »Ortschaft der Worte«, »Gehöft von Gefühl« fast Karikaturen, jedenfalls Übertreibungen des Prinzips, daß sich »eins im anderen erkennt«.

Ausgesetzt auf den Bergen des Herzen ist nicht nur aus Rilkes Biographie zu erklären. [110] Die Erfahrung, daß er keine dauernde Liebesbeziehung knüpfen konnte, mag auf die Intention einen gewissen Einfluß gehabt haben; die Situation des Gedichtes ist dennoch eine beschworene Phantasie-Situation. Denn der Fehlschlag des Versuches, eine halb natürlich-erotisch ersehnte, halb fiktiv konzipierte, künftige Geliebte in »Benvenuta«, Magda von Hattingberg, zu finden, ging ja auch dem Gedicht *Es winkt zu Fühlung fast aus allen Dingen* (und auch den *Fünf Gesängen*) voraus. Vor allem wurde *Ausgesetzt auf den Bergen des Herzens* geschrieben, während die Liebe zu Lulu Albert-Lasard im Aufsteigen war. Eher ist schon die Erfahrung der Hilflosigkeit des einzelnen, besonders des Wortkünstlers, gegenüber dem sinnlosen Schwergewicht des Krieges an der Intention des Ausgesetztseins beteiligt. Aber auch dieser Einfluß auf die Intention dürfte nicht überschätzt werden, weil das Gedicht zu dem Umkreis der 1912 begonnenen Elegien gehört, wie auch, auf etwas tieferer Stufe, *Es winkt zu Fühlung fast aus allen Dingen*. Beide Gedichte haben den Dichterberuf zum Thema. In *Ausgesetzt auf den Bergen des Herzens* wird ein Bild beschworen, aber so in eine Struktur gespannt, daß es zugleich gilt und fragwürdig ist, daß es eine Tradition fortsetzt und zugleich bezweifelt und an diesem Spiel eine halb geheime, halb offenbare Lust hat.

IX

Die Verfügbarkeit aller Dinge für den dichterischen Ausdruck und die Kehrseite, der Perspektivismus, die fehlende Verbindlichkeit, das Wort, das weder letzte Wahrheit noch das Sein als Ganzes erfassen kann — das Thema dieses komplementären Gegensatzes findet sich auch im Werk Hofmannsthals. Der Gegensatz zeigt sich in dem merkwürdigen Miteinander von Sprachskepsis [111] und dem Jubel über die Kraft der Verwandlung, wie ihn Hofmannsthal so oft ins Wort bringt, sehr häufig in der glanzvollen Beschwörung der verwandelnden Macht der Liebe. Er hängt zusammen mit dem Motivgegensatz von Treue und Untreue, von Selbstbewahrung, Wahrhaftigkeit, Verantwortung auf der einen Seite, Selbstaufgabe, Verwandlungsfähigkeit, herrlichem Spiel des Lebens auf der anderen Seite. Hofmannsthal trifft nicht etwa eine eindeutige moralische Entscheidung für die eine oder die andere Seite, denn Selbstbewahrung kann als Egoismus genauso negativ sein (in der Figur des Kaisers in der *Frau ohne Schatten*) wie die Lügenhaftigkeit des Abenteurers. Die Abenteurer, sogar die Casanova-Figuren, sind nicht nur Exempel zum Zwecke der moralischen Verurteilung;[112] Hofmannsthal teilt ihnen einen Wert zu: die Teilnahme am Mitmenschen setzt eine Verwandlungsfähigkeit voraus, sie ist freilich nur ein Wert, wenn sie mit Treue verbunden ist. Im *Turm* entsteht die Tragödie aus dem Zusammenstoß beider Motivgruppen und ihrer Ethik in Sigismund. Schon *Gestern* hatte zeigen wollen, wie ein Lebensabenteurer sich nicht über sein eigenes ethisches Verlangen nach der Treue seiner Geliebten hinwegzusetzen vermag. Der Motiv-Gegensatz zieht sich also durch das gesamte Werk Hofmannsthals, [113] wir werden ihn auch im Hintergrund der Lyrik finden. Freilich nur im Hintergrund. Die Beschwörung eines lyrischen Momentes hat mehr mit der Motivgruppe der Verwandlung zu tun als mit der beharrender Treue.

Verwandlung ist das Prinzip, das Hofmannsthal im *Gespräch über Gedichte* an die Stelle des »schal« [114] gewordenen Begriffes »Symbol« setzt und am Beispiel der ersten Opferung eines Widders exemplifiziert: »... alles ruhte darauf, daß auch er [der erste Opferer] in dem Tier gestorben war, einen Augenblick lang. Daß sich sein Dasein, für die Dauer eines Atemzugs, in dem fremden Dasein aufgelöst hatte. – Das ist die Wurzel aller Poesie ...« [115] Mit dieser Verwandlung hängt die Verfügbarkeit aller Dinge, besonders aber der Landschaft, für die lyrische Sprache eng zusammen.

Sind nicht die Gefühle, die Halbgefühle, alle die geheimsten und tiefsten Zustände unseres Inneren in der seltsamsten Weise mit einer Landschaft verflochten, mit einer Jahreszeit, mit einer Beschaffenheit der Luft, mit einem Hauch? Eine gewisse Bewegung, mit der du von einem hohen Wagen abspringst; eine schwüle sternlose Sommernacht; der Geruch feuchter Steine in einer Hausflur; das Gefühl eisigen Wassers, das aus einem Laufbrunnen über deine Hände sprüht: an ein paar tausend solcher Erdendinge ist dein ganzer innerer Besitz geknüpft, alle deine Aufschwünge, alle deine Sehnsucht, alle deine Trunkenheiten. Mehr als geknüpft: mit den Wurzeln ihres Lebens festgewachsen daran, daß – schnittest du sie mit dem Messer von diesem Grunde ab, sie in sich zusammenschrumpften und dir zwischen den Händen zu nichts vergingen. Wollen wir uns finden, so dürfen wir nicht in unser Inneres hinabsteigen: draußen sind wir zu finden, draußen. [116]

Die Offenbarungen, die dem Lord Chandos »freudige und belebende Augenblicke« gewähren [117], sind lyrischen Momenten sehr ähnlich. Was ihm abhanden kam, war nicht die Sprache, das widerlegt sein Brief, sondern der Glaube an die metaphysische Wahrheit der Wörter in Urteilen, die über Zusammenhänge abgegeben werden und die auf abstrakten Wörtern beruhen wie »Geist«, »Seele« oder »Körper« oder »die Notwendigkeit, immer wahr zu sein«. Diese erregen ihm den »Ekel«, der durchaus ein metaphysischer ist. [118] Die jugendlich-trunkene Selbsttäuschung über eine All-Einheit [119] ist verschwunden, die Religion als bloße Allegorie [120] bietet keine greifbare Wahrheit, die Philosophie Bacons, sein »harmonisch ausgebreitetes Reich der geistigen und leiblichen Erscheinungen« ebensowenig. Was bleibt, ist die stumme, aber offenbarende Sprache der Dinge, [121] in der Chandos sich auszudrücken und zu denken wünschte. Diese Sprache können wir verstehen als die des verwandelnden dichterischen Wortes, wie sie im *Gespräch über Gedichte* dargestellt ist. Sie setzt nicht »eine Sache für die andere«, orientiert sich also nicht an einer gedeuteten Welt, sondern »sie spricht Worte aus um der Worte willen« [122] und erzeugt damit gleichsam einen Hauch, »wie im Sommerabendwind, der über die frischgemähten Wiesen streicht, zugleich ein Hauch von Tod und Leben zu uns herschwebt, eine Ahnung des Blühens, ein Schauder des Verwesens, ein Jetzt, ein Hier und zugleich ein Jenseits, ein ungeheures Jenseits.« [123] Tod und Jenseits sind Zeichen für die Verwandlung, für die Beschwörung des imaginären Momentes, der das lyrische Ich aus der Alltäglichkeit heraushebt. Diese Verwandlung wird am Ende des

Gesprächs ein Wunder genannt: »Daß es Zusammenstellungen von Worten gibt, aus welchen, wie der Funke aus dem geschlagenen dunklen Stein, die Landschaften der Seele hervorbrechen ...« [124] Diese Sprache sei nicht in »Gedankenworte« oder »Gefühlsworte« übersetzbar. Die Bilder des Gedichtes »sind Chiffren, welche aufzulösen die Sprache ohnmächtig ist«. [125] Philosophische oder psychologische Interpretation wird dem lyrischen Bild nicht gerecht, wenn sie es auf eine eindeutig bestimmbare Welt festlegen will. Das hindert aber nicht, daß das Bild selbst in der lyrischen Sprache gesagt ist.

Was der Chandos-Brief sagt, ist im Grunde schon in Hofmannsthals Jugendgedicht *Ballade des äußeren Lebens* enthalten. Das Gedicht fügt Bildchen an Bildchen in Terzinen, die, wie es zuerst scheint, endlos fortgehen, mit Reimen, die unregelmäßig von einer Strophe in die nächste laufen, während manche Zeilen reimlos stehenbleiben. Die Bildchen werden aneinandergereiht durch eine solche Überfülle von »und«, daß die Zusammenhanglosigkeit der Bilder gerade durch das funktionsunfähige Bindewort deutlich wird. So gehen vier Strophen:

> Und Kinder wachsen auf mit tiefen Augen,
> die von nichts wissen, wachsen auf und sterben,
> Und alle Menschen gehen ihre Wege.
>
> Und süße Früchte werden aus den herben
> Und fallen nachts wie tote Vögel nieder
> Und liegen wenig Tage und verderben.
>
> Und immer weht der Wind, und immer wieder
> Vernehmen wir und reden viele Worte
> Und spüren Lust und Müdigkeit der Glieder.
>
> Und Straßen laufen durch das Gras, und Orte
> Sind da und dort, voll Fackeln, Bäumen, Teichen,
> Und drohende, und totenhaft verdorrte ...

Es folgen sieben Verse, in denen die Frage nach dem Sinn des Weltgeschehens gestellt wird, nach dem Sinn für ein Individuum, das sich »groß« und »ewig einsam« fühlt, also von den Dingen der Welt distanziert ist und damit unverwandelt, sich selbst bewahrend. Diesen Fragen wird als Antwort ein Wort gegeben, das dichterisch gesagte Wort »Abend«.

Wozu sind diese aufgebaut? und gleichen
Einander nie? und sind unzählig viele?
Was wechselt Lachen, Weinen und Erbleichen?

Was frommt das alles uns und diese Spiele,
Die wir doch groß und ewig einsam sind
Und wandernd nimmer suchen irgend Ziele?

Was frommts, dergleichen viel gesehen haben?
Und dennoch sagt der viel, der »Abend« sagt,
Ein Wort, daraus Tiefsinn und Trauer rinnt

Wie schwerer Honig aus den hohlen Waben. [126]

Daß es das Wort »Abend« ist, das den verwandelnden Zauber in
sich hat, ist ein Nachklang des romantischen Abend- und Nachtmythos.

Das unbegriffene Durcheinander vieler Schicksale im Dasein, einschließlich der aus historischer Vergangenheit, die uns offenliegt, sogar
der, von der wir nichts wissen, aber durch Imagination Zugang haben
– die Vielzahl von Welten und Perspektiven also, die sich uns an-
bietet, ist Thema des Gedichtes *Manche freilich*, [127] das vermutlich wie
das eben zitierte aus dem gleichen Jahre 1895 stammt, in dem Hofmannsthal durch sein Militärjahr häßlichen Erfahrungen ausgesetzt
war und in dem auch das *Märchen der 672. Nacht* geschrieben wurde. [128]
Aus dem gleichen Jahre stammt das Gedicht, das der Verfügungsgewalt
des Dichters den stärksten Ausdruck gibt, *Der Traum von großer Magie*
mit einem neuplatonischen Schluß, der von Paracelsus stammt [129]
und dessen Bedeutung für Hofmannsthal man nicht überschätzen sollte.
Der neuplatonische Glaube an unsere Teilnahme an einem Zentralfeuer-
Geist steckt von der Mystik bis zu Goethe tief in unserer Tradition, er
bestimmt den Neuhumanismus weithin. In Hofmannsthals Gedicht ist
der »Geist«, der uns einerseits »viel verwaist« läßt, andererseits doch
»Feuer uns im tiefsten Kerne« ist, [130] ein Bild für die dichterische Vision, deren Kommen und Gehen unkontrollierbar ist. An sich ist deutlich genug, daß Hofmannsthals metaphysische Grundlage in Nietzsches Sinne perspektivistisch ist; man kann auch »nihilistisch« sagen,
wenn man diesen Begriff streng metaphysisch nimmt, als Abwesenheit
von zwingenden primären Orientierungen in dieser Welt, im gleichen
Sinne also, in dem ein religiös Gläubiger nihilistisch ist, wenn er sich
das Göttliche nicht durch angeblich »kosmische« Ordnungen verstellt
hat. [131] Das Wissen um die ungedeutete und nicht deutbare Welt ist
der dunkle Hintergrund, vor dem die Gebilde der dichterischen Sprache
aufleuchten.

Viele Gedichte Hofmannsthals sprechen von der Verwandlung der alltäglichen Welt. Einen besonders starken Ausdruck fand das Thema in *Lebenslied,* [132] eine Reihe von Gedichten hat die Liebe als verwandelnde Macht zum Thema. Dazu gehören die wenig beachteten *Drei kleinen Lieder* von 1899, in deren erstem, von Robert Browning angeregten Gedicht [133], das »Schwere« des alltäglichen Lebens in der sternlosen Nacht und als »das Haus« erscheint, das von Musik »umschlichen« wird. Das zweite Gedicht bringt die atmosphärische Befreiung und die Liebeserfüllung »im Grünen zu singen« und das dritte in Volksliedform, aber ohne die künstliche Dumpfheit so vieler Imitationen des 19. Jahrhunderts, die überraschende Erklärung der »Liebsten«: »Die Menschen soll man halten nicht, / sind nicht zur Treu geborn.« Beschworen wird in drei Ansätzen die Verwandlung des Schweren zum Leichten in der Liebe, ein Thema, das dann in *Christinas Heimreise* einging. [134] Dabei ergeben sich eine Fülle von literarischen Anspielungen, die von Robert Brownings *Serenade at the Villa* über das mittelalterliche Gedicht der sogenannten niederen Minne, das Wächterlied etwa im Stile Wolframs (in der Nennung der Sterne), bis zum Volkslied reichen, und doch bleiben dies nur leichte Anspielungen. Was in den früheren Gedichten wie *Lebenslied* und *Manche freilich* offener ausgesprochen wurde, die Verfügung des dichterischen Wortes über die Zeit, wird hier verborgener enthüllt. [135]

Leichte Anspielungen auf literarische und möglicherweise vorliterarische Motive enthält auch ein Gedicht aus dem Jahre 1898, mit dem wir uns etwas näher beschäftigen wollen. [136]

Reiselied

Wasser stürzt, uns zu verschlingen,
Rollt der Fels, uns zu erschlagen,
Kommen schon auf starken Schwingen
Vögel her, uns fortzutragen.

5   Aber unten liegt ein Land,
Früchte spiegelnd ohne Ende
In den alterslosen Seen.

Marmorstirn und Brunnenrand
Steigt aus blumigem Gelände,
10   Und die leichten Winde wehn.

Das Gedicht nennt einen Alpenübergang nach Italien mit Motiven, von denen einige in dem späteren Aufsatz *Sommerreise* wiederkehren. [137]

Die Alpen richten im Gedicht (nicht im Aufsatz) eine Bedrohung auf. Die Dinge, Wasser und Fels, stürzen auf das lyrische Ich zu, im ersten Augenblick auch die starken Vögel. [138] Aber sie enthüllen sich als Zeichen der Verwandlung, Zeichen der Entgrenzung, fähig, das lyrische Ich in ein Land zu tragen, wo die Dinge nicht unmittelbar auf den Menschen wirken, sondern in Form der Anspielung, in künstlerischer Form also. Früchte erscheinen in einer Spiegelung in den »alterslosen« Seen, die mit den oberitalienischen Seen identisch und nicht identisch sind. Die schöne Kunstwelt eröffnet sich durch Anspielungen. Marmorstirn steht für die Statue, der Brunnenrand repräsentiert die Zähmung des eben noch wilden Elementes; in Verbindung mit der Statuen-Andeutung läßt er an einen schönen alten Brunnen denken. Beschreibt man diese Anspielungen mit Begriffen der Rhetorik als Synekdoche oder Metonymie, so hat man wieder eine Anspielung auf eine alte Kunst. Die Natur fügt sich dieser Zähmung ein, »leichte Winde wehn« und »blumiges Gelände« umgibt die Kunstdinge.

Hofmannsthal läßt sowohl Goethes Mignon-Lied wie das Schlußbild von *Auf dem See* durch seinen Text durchschimmern. Im Lied Mignons kommen die Verse vor: »Es stürzt der Fels und über ihn die Flut« und »Ein sanfter Wind vom blauen Himmel weht«. Auch die »Marmorstirn« könnte auf Goethes »Marmorbilder« zurückgehen. Sowohl Mignons Lied wie *Auf dem See* haben mit dem unmittelbaren Erleben und seiner Bändigung durch die distanzierende Funktion der Kunst zu tun. In *Auf dem See* ist dies das Thema, und in der Struktur der *Lehrjahre* werden Mignon wie der Harfner zu Kontrastfiguren, in denen die Unbedingtheit des Herzens nicht spielerische Distanz gewinnen kann. Auch die Italiensehnsucht, Heimweh von Mignon aus gesehen, hat etwas Unbedingtes, Sehnsucht nach Erfüllung eines unreflektierten Wunsches. Wilhelm Meisters Distanz zu sich selber, der Spielraum, den er sich gewinnt, um an einer höheren Gesellschaftsform teilzunehmen, ist auf der fiktiven Ebene Ausdruck der Stufe, die Goethe seit der Italienreise erreichte, mag er auch vielfach vorgebildet sein, nicht zuletzt in *Auf dem See*.

So ist Hofmannsthals Gedicht in mehrfacher Weise voller Anspielungen. Der Raum einer reifen, nicht unmittelbaren, sondern distanzierten, aber spielerischen Kunst ist sein Ziel, die Mittel seiner sprachlichen Beschwörung sind selbst Anspielungen.

Wir hatten gesehen, wie in Benns *Einsamer nie* — und in Rilkes *Ausgesetzt auf den Bergen des Herzens* das lyrische Ich sich zugleich auf eine Tradition bezieht und sich von ihr absetzen will. Hofmannsthals Gedicht spielt mit der Tradition ohne jede pathetische Absicht. Das

Gedicht macht das Schwere leicht. Der Durchgang durch die Alpen, der Eintritt in das Kunstland, die Hochstimmung der Reise ist nicht nur ein Erlebnis, auch nicht nur ein Symbol, das auf einem Erlebnis beruht, sondern alles dies und ein Spiel mit seiner überkommenen Deutung. Die Deutung der chaotischen, elementaren Natur durch die Kunst macht Erlebnisse erst möglich. Dies ist eine Ästhetik, die schon im *Tod des Tizian* ausgesprochen wurde:

> Er hat aus Klippen, nackten, fahlen, bleichen,
> Aus grüner Wogen brandend weißem Schäumen,
> Aus schwarzer Haine regungslosem Träumen
> Und aus der Trauer blitzgetroffener Eichen
> Ein Menschliches gemacht, das wir verstehen . . . [139]

Die Struktur von Hofmannsthals *Reiselied* ist also zunächst bestimmt von dem Gegensatz elementarer Erlebnisse und einer reifen Kunst, die distanziert in Anspielungen genossen wird. Dieser Gegensatz erscheint im Bild einer Reise über die Alpen. Das Bild, vielmehr die beiden Bildgruppen, verraten, daß sie selber Anspielungen enthalten, so daß die Freiheit des Spiels das beherrschende strukturelle Element wird. Diese Freiheit erhält ihr eigenes Bild in den Vögeln mit den starken Schwingen gleichsam an der Achse des Gegensatzes. Dies zeigt sich in den rhythmischen Verhältnissen an.

Die beiden ersten Verse sind durch einen Schnitt nach der zweiten Hebung gekennzeichnet. Zwei Hebungen stoßen zusammen. Die beiden Hälften jedes Verses sind verschieden gebaut, die zweite Hälfte hat einen Daktylus. Die beiden Verse sind metrisch und rhythmisch ganz gleich. Zum Überfluß ist die Stelle des Schnittes beide Male durch die gleichen Wörter genau bezeichnet, und auch die jeweils folgenden Verben haben ein Maximum von gleichen Klängen. Die ersten Vershälften, die erste und zweite Hebung jedes der beiden Verse also, erhalten dadurch besonders starken Ton, der von dem Daktylus der zweiten Hälfte gleichsam abgeleitet wird.

$$\bot \smile \bot \ // \ - \smile \smile \ - \smile$$

> Wasser stürzt, uns zu verschlingen,
> Rollt der Fels, uns zu erschlagen . . .

Die beiden ersten Vershälften jedes der beiden Eingangsverse konfrontieren das lyrische Ich mit der Bedrohung des Elementaren. Das stürzende Wasser wird gesehen, der rollende Fels zuerst gehört – das Wort »rollt« ist lautmalend –, ein scheinbar ganz naturalistischer Zug, weil man in der Tat Steinschlag im Gebirge zuerst nur hört, und gerade das ist bedrohlich. Die Stauung und die wiedereinsetzende Hebung auf »uns« trägt die Bedrohung in die jeweils zweite Vershälfte. Freilich ist schon »uns« eine Milderung. Was immer es bedeuten mag, das lyrische Ich aus Autor und Leser, alle Menschen oder konkret eine kleine Reisegesellschaft: der Ton liegt nicht auf einem ausgesetzten Einsamen, und das allein ist die Funktion des Wortes »uns«. Die Daktylen in der zweiten Vershälfte mildern die Bedrohung ebenfalls. Zusammen mit den gleichen und ganz ähnlichen Klängen in den beiden zweiten Vershälften erwecken sie den Eindruck des Vorübergleitens, reißen sie das lyrische Ich von der Bedrohung fort, die sich im Semantischen zwar hält, aber dadurch, daß sie ausgesprochen wird, ebenfalls an Unmittelbarkeit verliert. Nimmt man den syntaktischen Zusammenhang der ersten Strophe hinzu, dann stellt sich heraus, daß die Wortstellung »rollt der Fels« noch eine ganz andere Funktion hatte als die lautmalende. Wenn der Fels bedrohend rollt, dann kommen schon die Vögel mit den starken Schwingen. Das Metrum wechselt in Vers 3 zu Trochäen, Vers 3 ist also metrisch gleich mit den Versen der zweiten und dritten Strophe. Die Vögel tragen das lyrische Ich fort, retten es von der Bedrohung durch das Unmittelbare, Elementare. Aber die Vögel können zunächst selbst als Bedrohung erscheinen und sollen auch etwas Bedrohliches im Hintergrund behalten. Der Vers ist durch drei sch-Alliterationen an die vorhergehenden klanglich gebunden. Der Vokal der ersten Hebung ist mit dem der ersten in Vers 2 gleich (Kommen – Rollt), vor allem gestattet das trochäische Metrum, den Anfang des Verses so zu lesen wie den Anfang der Verse 1 und 2. Freilich wird durch die Hebung auf »starken« klar, daß »auf« als Senkung zu lesen ist, eine Staupause, ein Schnitt also unangebracht ist. Dennoch wird der Rhythmus der vorhergehenden Verse vor »auf« eine kleine Spannpause erzwingen. Denn die Teilung des Verses ist ein rhythmisches Gesetz der Strophe, das schwächer wird, aber nicht aufhört: In Vers 4 ist die Pause auch syntaktisch gefordert. Da man »fortzutragen« schwer anders als mit zwei Hebungen lesen kann, ist »uns« nunmehr in die Senkung geraten, allenfalls ein schwebender Nebenton mag durch den Zwang des starken Rhythmus der ersten beiden Verse nachwirken. Auch dieser rhythmische Wandel deutet auf das Ende der Konfrontierung des lyrischen Ich (»uns«) mit dem Bedrohlichen. Dennoch wirkt sie nach, denn auch das Fortgetragenwerden ist ja ein starkes unmittelbares Erlebnis und damit potentiell Gefahren ausgesetzt. Dem dienen die klanglichen und rhythmischen Verklammerungen. Der folgende Vers 5 beginnt mit »Aber«. Erst hier ist die Rettung gewonnen. »Unten« ist das Land, weil es unterhalb der Berge liegt, aber das Wort suggeriert auch den Flug, den das lyrische Ich mit den Vögeln nimmt, und den freien Blick, der nun gewonnen ist. Erst in der zweiten Strophe hört die Bedrohung auf, wird der Flug zur befreienden Rettung.

Hofmannsthal verwendet das Motiv des frei fliegenden Vogels sehr oft. Eine solche Stelle steht unserem Gedicht besonders nahe. Es ist der Abschluß von Andreas' Erinnerung an die Ereignisse auf dem Finazzerhof, die für ihn außerordentlich peinlich waren. Was Andreas lernen muß, ist Distanz zu seinen eigenen Erlebnissen. Bisher hat ihn alles überfallen und mitgenommen, was ihn verlegen und befangen machte. So kam er an einen betrügerischen Diener und durch ihn in die größte Verlegenheit. Alles dies geschah auf der Reise nach Venedig, wo er durch merkwürdige Begegnungen zweierlei lernen wird: den Abstand von sich selber in der Fähigkeit, anders zu werden, sich zu verwandeln, und die Möglichkeit, das Getrennte zu vereinigen, Untreue und Treue zugleich. Dies wird ihm in einem visionären Naturerlebnis deutlich, während er auf einem Wagen die Täler hinab auf Venedig zurollt. In diesem Erlebnis finden sich auch die Züge, die wir aus *Reiselied* kennen: Wasserfälle, Felsen, allerdings hier nicht bedrohlich und von einem reinen, schneebedeckten Gipfel überragt. In der abendlichen Landschaft fällt das letzte Licht auf einen schwebenden Adler. Dieser Anblick verwandelt den gedrückt auf dem Wagen sitzenden Andreas. Er identifiziert sich mit dem Berg vor ihm: »Ihm war, als wäre dies mit einem Schlag aus ihm selber hervorgestiegen: diese Macht, dies Empordrängen, diese Reinheit zuoberst.« Zugleich identifiziert er sich mit dem Adler. Beide Identifikationen sind Offenbarungen im Sinne des Chandos-Briefes, Symbole im Sinne des *Gesprächs über Gedichte*. »Andreas umfing den Vogel, ja er schwang sich auf zu ihm mit einem beseligten Gefühl. Nicht in das Tier hinein zwang es ihn diesmal, nur des Tieres höchste Gewalt und Gabe fühlte er auch in seine Seele fließen. Jede Verdunklung, jede Stockung wich von ihm. Er ahnte, daß ein Blick von hoch genug alle Getrennten vereinigt und daß die Einsamkeit nur eine Täuschung ist.« [140]

Im Hintergrund ist die Gefahr einer solchen Identifikation angedeutet. »Nicht in das Tier hinein zwang es ihn diesmal«, darin liegt, daß dies geschehen könne. Die Wendung ist Rückverweis auf eine oder zwei intensive Erinnerungen, die Andreas traumhaft quälen: die an einen kleinen Hund, den er in zorniger Eifersucht als Knabe getötet und an eine Katze, die er erschlagen hatte (eine dieser beiden Stellen wäre bei einer endgültigen Redaktion vermutlich gestrichen worden). [141]

Wir können die Parallelstelle wohl dazu benutzen, um die Zweideutigkeit des Vogelbildes auch in unserem Text zu unterstreichen. Die Vögel, die das lyrische Ich forttragen, sind Höhepunkt der unmittelbaren, elementaren Erlebnisse und zugleich Rettung, weil sie den Blick von oben auf das »Land«, den Spielraum der Anspielungen eröffnen. Noch einen Hinweis entnehmen wir der Parallelstelle. Andreas konnte sich zugleich in den Berg und den Vogel versetzen, obwohl, wie der Kontext ausweist, beide einander feindlich waren, denn der Berg schützt das Reh, das der Adler erbeuten will. Auch im *Reiselied* sollte man die elementaren Erlebnisse nicht allzu negativ sehen. Es wäre ohnehin unwahrscheinlich, wollte man ein pejoratives Bild aus Alpenmotiven bei Hofmannsthal annehmen, zumal in ihm auch das Wassermotiv vorkommt, das bei Hofmannsthal positive Tendenzen zu haben pflegt. Vielmehr ist auch das Bedrohliche, an dem das lyrische Ich reisend vorübergleitet, von einer geheimen Anziehungskraft.

Die Bindung beider Erlebnismöglichkeiten, der elementaren und der distanzierten, durch Anspielungen kommt im *Reiselied* zum Ausdruck. Die geheime Bindung auch der zweiten an die erste wird verraten durch zwei rhythmische Anspielungen auf die beiden Eingangsverse. In Vers 8 herrscht wieder einmal Parallelität, und die Anfangsstellung eines einsilbigen Verbums in Vers 9 erinnert an Vers 2. Semantisch erhält »Steigt aus blumigem Gelände« die Bewegung der vorübergleitenden Bilder, die Reisebewegung aufrecht.

Noch eine letzte Anspielung ist zu erwähnen: das Gedicht ist ein unvollständiges Sonett. Es ist offensichtlich, daß die formstrenge Sonettenform durch zwei Quartette hindurch das Elementare der beiden ersten Verse zu stark unterdrückt hätte. Aber der Einschnitt vor den Terzetten ist da. Man könnte sagen, von diesem Einschnitt an, also dort, wo wir in das imaginäre Italien eintreten, gelte die (in der Reimstellung wie üblich gelockerte) italienische Form. Aber die Verse sind vierhebig. Das bindet sie eben doch an die erste Strophe und an die deutsche Herkunft.

X

Ist es angemessen, zeitgenössische Gedichte vor dem Hintergrund der lyrischen Tradition der beiden vergangenen Jahrhunderte zu betrachten? Man kann nichts anderes tun. Die Autonomie des modernen Gedichtes ist nur die Fortführung einer Bewegung, die in der Klassik und Romantik schon deutlich erkennbar war. Es gibt keine Brüche in der Tradition. Absagen an eine vergangene Kunstform pflegen diese eher zu bestätigen. Freilich ist die Auswahl vergleichbarer moderner Gedichte erschwert durch mangelnde Perspektive. Unterscheidungen zwischen Nachahmungen gängiger Moden, neuen Formexperimenten und gültigen Gedichten, denen man langes Überleben ihrer Autoren voraussagen kann, pflegen frühestens eine Generation später möglich zu sein.

Wir haben schon drei Gedichte zeitgenössischer Autoren betrachtet. Celans *Todesfuge* als Beispiel des Spielcharakters der lyrischen Kunst, selbst bei einem bitterernsten Thema, Enzensbergers *an alle fernsprechteilnehmer* als Beispiel für die geringe Wirkung verdrossenen Ernstes (verglichen mit Celans *Todesfuge*) und Ingeborg Bachmanns *Reklame* als Beispiel einer klar überschaubaren Struktur. Den beiden folgenden Gedichten läßt sich ein Mangel an Spielcharakter nicht vorwerfen. Wir können sie mit den hier besprochenen Gedichten Heyms, Rilkes und Hofmannsthals vergleichen.

Zunächst ein Gedicht, das formale Anspielungen auf klassische Verse enthält und nur verstanden werden kann, wenn man Bildschichten unterscheidet, die in dem Gedicht zusammenkomponiert sind. Es ist von Ingeborg Bachmann. [142]

Im Gewitter der Rosen

> Wohin wir uns wenden im Gewitter der Rosen,
> ist die Nacht von Dornen erhellt, und der Donner
> des Laubs, das so leise war in den Büschen,
> folgt uns jetzt auf dem Fuß.

Die ersten drei Verse haben jeder vier Hebungen. Die beiden ersten zerfallen in Halbverse. Der erste hat Halbverse von ungefähr gleicher Länge — der Schnitt liegt zwischen »wenden« und »im« —, der zweite teilt sich erst nach der dritten Hebung (»erhellt«). In allen Versen kommen zweisilbige Senkungen vor; der zweite Vers hat zweisilbigen Auftakt. Es hat nicht viel Sinn, im Deutschen von Anapästen zu sprechen, der Hauptton auf den Stammsilben bewirkt, daß wir sobald wie möglich Daktylen hören wollen. Es genügt also festzustellen, daß zweisilbige Senkungen klassische Verse suggerieren und daß eine strenge Imitation nicht beabsichtigt wurde. [143]

Thematisch kann man eine gewisse Erinnerung an Epigramme wie Goethes *Anakreons Grab* oder kürzere Oden wie Klopstocks *Die frühen Gräber* oder Höltys *Die Mainacht* feststellen. Rosen, Gebüsche, Nacht wären die verbindenden Themen. Das Gewitter erinnert an Klopstocks *Frühlingsfeier*. Vielleicht wäre auch Hölderlins *Abendphantasie* heranzuziehen, weil dort Wolken am Abendhimmel als Rosen erscheinen. Die Verbindung von Wolken und Rosen liegt wohl auch der Bildsprache unseres Gedichtes zugrunde.

Es ist weniger wichtig, ob Ingeborg Bachmann genau diese Gedichte, von denen sich die meisten im deutschen Bildungsbewußtsein gerade noch halten, im Auge gehabt hat. Wir haben jedenfalls eine Anspielung auf jene Sphäre vor uns, die sich ihrerseits mit antiker Lyrik verbunden fühlte und Vorgänger in der anakreontischen Rokokodichtung hatte. Freilich ist diese Tradition in Ingeborg Bachmanns Gedicht dehumanisiert, das heißt: das Naturthema ordnet sich nicht mehr leicht der Menschenwelt ein. Das Rosenthema erinnert auch an Rilke und seine Dehumanisierung der Natur im Gedicht, die allerdings, wie wir gesehen haben, nicht als letzter Ernst angesehen werden kann, sondern als ein Spiel am Rande der Menschenwelt, als Sagen des Unsäglichen, ein Spiel, das Rilke als höchste Aufgabe rechtfertigt: als Verwandlung des Sichtbaren in das unsichtbare Gedicht.

Das lyrische Ich ist durch »wir« bezeichnet, und dieses »wir« ist in einer Lage, aus der es schwer entkommen kann. Es ist offenbar in Bedrängnis. Die Alliterationen, besonders die auf w im ersten Vers, der ähnliche Klang von »Donner« und »Dornen« im zweiten Vers und die Alliteration von »folgt« und »Fuß« im vierten Vers tragen zum Ausdruck der Bedrängnis bei. Die Alliteration »leise«-»Laub« im dritten Vers wirkt dagegen besänftigend, gleichsam retardierend. Bedrohlich wirkt auch der letzte Vers, der auf der Hebung endet, eine rhythmische Gestalt, die sonst nur einmal, im ersten Halbvers des zweiten Verses vorkommt. [144] Diese Wirkungen stammen natürlich aus der Semantik.

Was die Bedrängnis ausmacht, ist freilich verrätselt. Zwei Bildzusammenhänge sind aufeinandergelegt. Die Rosen werden mit einem nächtlichen Gewitter identifiziert, die Dornen sind die Blitze, das Laub der Donner. Das Gewitter ist nahe, denn der Donner »folgt uns jetzt auf dem Fuß«. Das war vorher nicht so, als das Laub noch »leise war in den Büschen«. Die Rosen selber sind das ganze Gewitter. Suchte man eine konkretere Entsprechung, käme man auf die Gewitterwolken, deren Gestalt an Rosen erinnern könnte, besonders wenn Blitze sie beleuchten. Vielleicht hat hier Trakls Vers aus dem Gedicht *Das Gewitter* eine Anregung gegeben: »Ein rosenschauriger Blitz . . .« Das wäre eine Lösung des Rätsels: Das Gewitter ist über »uns«, dem lyrischen Ich, wir sind ihm ausweglos ausgesetzt. Die Blitze erhellen die Nacht und lassen die Rosengestalt der Wolken sehen; die Blitze, das was verletzen kann, sind die Dornen jener Gewitter-Rosen und was die Dornen-Blitze umgibt, ist ihr Laub, der Donner. Die Erinnerung an das Laub, »das so leise war in den Büschen«, wäre die an lebendes grünes Laub, das im Tageslicht beruhigend wirkte. Der lyrische Moment besteht in der blitzartigen Deckung des Schönen und des Schrecklichen, genauer des Schrecklichen in der Gestalt des Schönen. Laub, »das so leise war«, bildet den Hintergrund des Normalen. Vielleicht ist hier ein religiöses Moment beteiligt. Die Erscheinung des Göttlichen im Gewitter, natürlich eine uralte mythische Tradition, ist uns vertraut durch den Semele-Mythos, Hölderlins *Wie wenn am Feiertage* und Klopstocks *Frühlingsfeier*. Freilich ergibt sich dieser religiöse Bezug erst aus der Interpretation.

Die hier vorgelegte Deutung unterscheidet also das Gewitterbild als primäre Aussage, das Rosenbild als sekundäre. Die Verbindung beider erfolgt zweimal durch Genitive ähnlich wie in Rilkes *Ausgesetzt auf den Bergen des Herzens* das Landschaftsbild mit der Deutung verknüpft wurde. Das Rosenbild ist sekundär, aber metaphorisch nur in einem modernen Sinne, denn es hilft ja nicht, das Gewitter in die Sprache zu bringen. Die Metapher ist ein heterogenes Bild, diese Bedingung der Definition ist in unserem sekundären Bild erfüllt. Dagegen hat diese Bildschicht keine rationale Vergleichsfunktion. Die Verbindung zwischen beiden Schichten ist ein sinnlicher Eindruck: Gestalt und Färbung nächtlicher, blitzerhellter Gewitterwolken. Als Wirkung rückt das Heterogene des Vergleichs in den Vordergrund: die augenblickliche Möglichkeit, beide Bilder zusammenzusehen, das Bedrängende im Bild des Schönen, ist der Reiz des Gedichtes, der verlorenginge, würde man einer der beiden Bildschichten rational-metaphorische Funktion zuordnen. Wenn man den Begriff Metapher auf die sekundäre Bildschicht anwendet, dann mit der modernen Potenz der Metapher im Sinn: der, sich jederzeit verselbständigen zu können. Eine selbständige Metapher ist aber ein Bild, und deshalb scheint es mir angemessener, von Bildschichten zu sprechen.

Auf den ersten Blick scheint eine Metapher wie die in einem berühmten Gedicht des Andreas Gryphius unserem Gedicht ähnlich zu sein: »Der Port naht mehr und mehr sich zu der Glieder Kahn.« [145] Sie hat zunächst auch etwas von einem Rätsel. Aber sie drückt eine dauernde Verbindung aus. Wie der Hafen vom Bord des Schiffes aus gesehen uns langsam, aber stetig näherkommt, so nähert sich uns der Tod. Das tertium comparationis ist das Unaufhaltsame der Bewegung (das jedenfalls für den Mitfahrer auf dem Schiffe gilt). In dem Gedicht von Ingeborg Bachmann ist keine feststehende Eigenschaft aller Gewitter ausgesagt. Nicht einmal der zusammengehörige Gegensatz von Schönem und Schrecklichem kann als allgemeine und gültige Aussage gelten. Er zeigt sich nur hier, nur blitzartig, als eine augenblickliche Erhellung der Nacht.

Das Gedicht nützt eine Möglichkeit aus, die durch den beschwörenden Charakter der Lyrik gesetzt ist. Die »Gegenwelt« des lyrischen Ich braucht keine gültige zu sein, ihre Struktur kann sich im Gedicht selbst aufbauen und dann zerfallen. Das war auch in den hier betrachteten Gedichten Goethes so. Die Landschaft in *Dämmrung senkte sich von oben*, ihre Vereinigung mit dem lyrischen Ich, besteht nur für dieses Gedicht und in ihm und sonst nicht. Auch die reifende Frucht am Ende von *Auf dem See* hatte ihre besondere Qualität nur auf dem Hintergrund dessen, was vorherging; freilich darüber hinaus stellt die Reife einer Frucht auch ein traditionell gültiges Zeichen dar, ein Emblem für Reife des Menschlichen und Reife des Kunstwerks.

Es erhebt sich aber ein Bedenken gegen *Im Gewitter der Rosen*. Das lyrische Ich ist zwar durch »wir« angesprochen. Aber es kann sich nur herstellen, wenn es sich in seiner »Gegenwelt« verstehen kann. Das kann es aber erst nach der Interpretation, von der man nicht sicher weiß, ob sie das Rätsel richtig aufgelöst hat und ob es eine richtige Lösung gibt. Die Verbindung von Gewitter und Rosen schließt zunächst die Gegenwelt gegen das lyrische Ich ab, obwohl es durch das »wir« in das Gedicht hineingelockt wird. Diese Verrätselung, diese Abschließung des Gedichtes gegen den Leser ist ein Problem des Verständnisses vieler moderner Gedichte. Sie ist die nachhaltigste Dokumentation der Autonomie der Kunst. Aber ist sie nötig? Die Frage ist nicht leicht zu beantworten. Unser Gedicht würde von seiner prägnanten Kürze verlieren, käme es dem Leser entgegen.

Betrachten wir ein Gedicht von Conrad Ferdinand Meyer zum Vergleich. [146]

Auf dem Canal grande

Auf dem Canal grande betten
Tief sich ein die Abendschatten,
Hundert dunkle Gondeln gleiten
Als ein flüsterndes Geheimnis.

Aber zwischen zwei Palästen
Glüht herein die Abendsonne,
Flammend wirft sie einen grellen
Breiten Streifen auf die Gondeln.

In dem purpurroten Lichte
Laute Stimmen, hell Gelächter,
Überredende Gebärden
Und das frevle Spiel der Augen.

Eine kleine, kurze Strecke
Treibt das Leben leidenschaftlich
Und erlischt im Schatten drüben
Als ein unverständlich Murmeln.

Hier kann kein Zweifel bestehen. Ein Bild ist klar gezeichnet. Es enthält eine gewisse Willkür, weil kein Grund besteht, warum auch die akustischen Eindrücke von dem Sonnenstreifen beeinflußt sein sollen. Man nimmt das aber hin, ohne viel zu fragen. Das lyrische Ich erlebt »das Leben« auf dieser »kurzen Strecke« und der Rest ist »flüsterndes Geheimnis« und »unverständlich Murmeln«. Das Leben besteht im Augenblick, es ist selbst nur ein Augenblick. Das will das Gedicht sagen, eine Aussage, entfernt verwandt mit dem Augenblick, in dem Rosen und Gewitter sich decken. Kommt man von Ingeborg Bachmanns Gedicht, so fragt man sich freilich, ob es wirklich angemessen war, daß Meyer vier Strophen brauchte, um den Augenblick, den er meinte, ins Wort zu bekommen. Die ersten beiden Verse der letzten Strophe sind, wie mir scheint, besonders überdeutlich. Auch das »zwischen zwei Palästen« wirkt als merkwürdig tote Topographie, was allerdings dem Gedicht auch wieder nicht ganz unangemessen ist. Überhaupt ist dieses Vergleichsgedicht, wie viele Gedichte von Conrad Ferdinand Meyer, von hohem Rang. Wenn Ingeborg Bachmanns Gedicht mit seiner Verrätselung vor einem solchen guten, nur vielleicht dem Leser allzu entgegenkommenden Gedicht bestehen kann, sogar den Vorzug verdient, so fällt es schwer, etwas Grundsätzliches gegen die Mode der Verrätselung zu sagen. Das ändert aber nichts an dem

Hauptbedenken: die Verrätselung macht es leicht, mit dem Schleier der Unverständlichkeit Mängel zuzudecken. Es will mir scheinen, als gäbe es sehr wenige unter den zeitgenössischen Dichtern, die dieser Versuchung immer entgangen sind.

Eine südliche Landschaft wird in dem folgenden Gedicht von Karl Krolow beschworen: [147]

Der Zauberer

In den Zikaden
ist ein Zauberer versteckt,
der singt.

Jung ist er
wie Laub und Zeisige,
die das Ohr verhexen.

Das Gemurmel der Krüge
ist das Echo seiner Stimme.

Mit unsichtbaren Händen
schüttet er Mittagsblau
vor die Haustüren.

Nachts ist er Spion
im Blut von Mann und Mädchen,
ehe sie in ihre Körper
zurückkehren.

Die Zikaden
finden keinen Schlaf.

Die Zikaden, das akustische Kennzeichnen des Südens, verzaubern. Die Verzauberung wird in einer Reihe von Bildern geboten, von denen das erste, junges Laub und Zeisige, wenig mit südlicher Landschaft zu tun hat. Das nächste enthält eine modern klingende Zusammenziehung: das Gemurmel des Wassers und die Krüge, die das Wasser enthalten. Das Mittagsblau stimmt dann wieder zu dem südlichen Thema; daß es vor den Haustüren ausgeschüttet sein soll, nimmt man hin. Das Himmelsblau ist mit Hitze assoziierbar und diese kann vor den Haustüren liegen. Das Wort »Spion« in Strophe 5 ist freilich etwas kapriziös. Man weiß nicht, was es da auszukundschaften gäbe. Gemeint ist vielleicht, die Zikaden rufen die Vision eines Liebespaares hervor. Das Wort »Spion« wäre dann eine bemühte Verfremdung.

Das »ehe sie in ihre Körper zurückkehren« ist ein Gedanke, der besonders als Abschluß einer Prosaszene gut wirken könnte: die Liebenden als ein Wesen, das sich nach der Liebeserfüllung wieder teilt. Aber hier soll der Augenblick bezeichnet werden, »ehe« sie zurückkehren, also die Liebeseinheit. Der Leser soll diesen Augenblick aus der zukünftigen Situation erkennen, ihn also gedanklich erschließen.

Man kann aus diesen Beispielen ersehen, daß sich in Wahrheit kein lyrisches Ich bildet. Schon das Wort »ein Zauberer« beginnt, das zu verhindern. Denn der Zauber sollte ja in den Worten liegen. Die nüchterne Feststellung, daß die Zikaden einen versteckten Zauberer darstellen, ist ein zu billiger Ersatz für die Erzeugung des Zaubers, für die Beschwörung eines südlichen Momentes, der das nordische Bewußtsein in der Tat verwandeln kann, wie unter vielen anderen Hofmannsthals *Reiselied* zeigt. Die folgenden Bilder verraten einen bemühten Autor, der moderne Gedichtsprache vorführt, nicht ganz befremdend freilich, nur so, daß der Leser den Anlaß, die südliche Landschaft und südliches Leben nicht verliert, ihn aber auch nicht in seiner eigenen Welt erfassen kann.

Das »Gemurmel der Krüge« ist wohl das deutlichste Beispiel dafür, wie die moderne Gedichtsprache unangemessen verwendet wird. Hieße es »Gemurmel der Quellen« klänge dies freilich wie ein Klischee, änderte das Gemeinte aber nicht. Im Gegenteil, die einfache, wenn auch banale Aussage, gegen den Text gehalten, bringt heraus, daß die Addition von wasserhaltenden Krügen zu dem akustischen Bild von dem murmelnden Wasser dem Gedicht nichts Notwendiges hinzufügt, sondern nur das Banale des Ausdrucks beseitigt; vermutlich ist das der einzige Zweck.

Wenn ich richtig sehe (denn je moderner ein Gedicht, so größer die Möglichkeit, daß in ihm ästhetische Kategorien stecken, die der Interpret verkennt), dann ist Krolows Gedicht ein Beispiel für die Leichtigkeit, mit der man solche Gedichte einem Publikum vorsetzen kann, das schon lange auf gewisse verfremdende, verrätselnde Effekte vorbereitet ist. Eine solche Vorführung verhindert die Identifikation von Autor und Leser. Statt eines Gedichtes haben wir eine Stilübung, die ich für mißlungen halte.

XI

Unter zeitgenössischen Gedichten ist der Verzicht auf regelmäßige Verse weit verbreitet. Freie Verse hat es bei Klopstock und dem jungen Goethe gegeben, sie sind in unserer deutschen lyrischen Tradition nichts allzu Ungewöhnliches. Dennoch ist in der gegenwärtigen Lyrik eine Situation eingetreten, die ich nicht für sehr glücklich halte. Die Freiheit freier Verse ist so allgemein, das heißt, sie bezieht sich nicht mehr auf die »Normalsituation« regelmäßiger, metrischer Verse zurück, daß eine Masse solcher freien Rhythmen, hintereinander gelesen, einfach langweilig wird. Dazu kommt noch, man kann auch sagen diese Situation begünstigt es, daß oft Prosa in Zeilen abgesetzt und als Lyrik ausgegeben wird, eine Charakterisierung, die auch manche Gedichte von Gottfried Benn trifft, wovor sie freilich der große Name des Autors zumeist bewahrt.

Dagegen ist das Spiel zwischen Prosa und metrischem Vers ein besonderer Reiz, den wir an einer Reihe von Beispielen betrachten wollen. Das erste ist ein spätes Gedicht Rilkes: [148]

> An der sonngewohnten Straße, in dem
> hohlen halben Baumstamm, der seit langem
> Trog ward, eine Oberfläche Wasser
> in sich leis erneuernd, still' ich meinen
> 5   Durst: des Wassers Heiterkeit und Herkunft
> in mich nehmend durch die Handgelenke.
> Trinken schiene mir zu viel, zu deutlich;
> aber diese wartende Gebärde
> holt mir helles Wasser ins Bewußtsein.
>
> 10   Also, kämst du, braucht ich, mich zu stillen,
> nur ein leichtes Anruhn meiner Hände
> sei's an deiner Schulter junge Rundung,
> sei es an den Andrang deiner Brüste.

Das Gedicht besteht aus zwei Strophen, die durch die ungleiche Anzahl der Verse als verschieden auffallen. Die erste Strophe läßt sich in zwei Abschnitte einteilen. Der Schnitt liegt innerhalb von Vers 5, nach dem Doppelpunkt. Der Bedeutungszusammenhang des ersten Teiles ist durch den Trog gegeben. Der zweite Teil der Strophe erläutert die besondere Art der Gebärde des Durststillens durch die Handgelenke. Der erste Teil ist auch metrisch-rhythmisch von dem zweiten ganz deutlich unterschieden. Schon im ersten Vers, deutlicher noch in den folgenden, streitet die syntaktische Einteilung mit den Versen. Genauer gesagt: die Verse sind nicht aufrechtzuerhalten. Der erste Vers ist trochäisch und hat fünf Hebungen. Doch das Komma nach Straße bezeichnet eine starke Zäsur, denn die Hebung auf »in« ist nicht voll zu verwirklichen. In Vers 2 fällt ein Nebenton auf die Senkung (Baum)-stamm. Man kann eine Silbe wie -stamm nicht so lesen wie ein unbetontes e. Das Wort Baumstamm vor dem Komma wirkt wie eine Kadenz, die etwas abschließt. Die Hebung auf »der«, die folgt, setzt das Fließen des Verses nicht fort, sondern ist ein Neuanfang. Eine andere solche Kadenz haben wir in »Trog ward« in Vers 3, auch hier fließt der Vers mit »eine« nicht weiter. Beim Komma in Vers 4 stoßen rundweg zwei Hebungen aufeinander. Vers 5 wäre als fünfhebiger trochäischer Vers normal, erzwänge der Doppelpunkt und seine syntaktische Bedeutung nicht eine Pause, vor allem nach der Unmöglichkeit bisher, den Vers gegenüber der syntaktischen Einteilung durchzusetzen. Die Verse 6–9 zeigen regelmäßiges trochäisches Metrum. Freilich hat die Zerstörung des Verses, dessen Gesetze gegenüber der syntaktischen Gliederung zurücktraten, auch die Lesung dieser regelmäßigen Verse zweifelhaft gemacht. Der Vers ist in Richtung zur Prosa hin aufgelöst und das wirkt sich auch auf die regelmäßigen Verse aus. Von »Trinken« in Vers 7 eilt man leicht vor zu »viel« und »deutlich«, in Vers 8 wird man »aber diese« stärker unterdrücken, als man es in Versen mit Rhythmen täte, die dem Metrum näher liegen. In Vers 9 dürfte sich die Regelmäßigkeit untergründig durchgesetzt haben, was möglich ist, da wir durch den Druck schon immer darauf hingewiesen wurden, Verse zu erwarten. Die Druckanordnung von Scheinversen sorgt dafür, daß die syntaktischen Grenzen nicht übermäßig betont werden.

Wir haben in der ersten Strophe im Grunde eine Prosaeinleitung vor uns, die mit dem Vers spielt, ihn dem Leser vorenthält und ihn am Ende doch erreicht. Darum darf sich die Sprache semantisch auch im lyrischen Bereich bewegen. Die Sprache wirkt schlicht, was sie aber nur innerhalb des lyrischen Feldes ist. Eine Feststellung wie »Trinken schiene mir zu viel, zu deutlich«, ein Ausdruck wie »des Wassers Heiterkeit und Herkunft« wären in normaler Prosa lächerlich, aber auch auf der Ebene fiktiver Prosa in Gefahr, maniriert zu erscheinen. Daß wir uns solche Ausdrücke im Gedicht nicht nur gefallen lassen, sondern Freude und Befreiung durch sie erfahren, ist die Leistung der lyrischen Magie. Alliterationen und Vokal-Gleichklänge, vor allem auf a und o tragen zum Zusammenhalt der Strophe bei. Die Deutung des Wassers als heiter und der Hinweis auf seine Herkunft aus der Erde mythisieren das Wasser, eröffnen den Bereich des Imaginären.

Nachdem die erste Strophe den Vers glücklich erreicht hat, schwingen sich die vier Verse der zweiten Strophe ganz in einem fünfhebigen trochäischen Metrum. Die Verse bilden auch Sinneinheiten. Der erste Vers fordert aus syntaktischen Gründen einige kleine Spannpausen, erinnert also ein wenig an die erste Strophe. Die folgenden Verse fließen glatt, die syntaktische Einteilung liegt am Versende. In den beiden letzten Versen wird der Vers ausgenutzt, um »sei's an« (Vers 12) zu »sei es an« (Vers 13) zu variieren, wobei im zweiten Falle zwei Hebungen auf den fast gleichen Ausdruck fallen, wodurch die Sprache sich zu verlangsamen scheint, den Anschein einer endgültigen Aussage gewinnt. Wie in der ersten Strophe gibt es in der zweiten Spiele mit Vokalklängen: Kurz-i in Vers 10 verbindet »ich« und »stillen« (unterstrichen durch »mich«) und nimmt ein Thema aus den Versen 4 bis 6 wieder auf. Die Verse 11–13 spielen mit dem ei-Klang: »ein leichtes«, »sei's« und »sei es«, vor allem aber mit »meiner« und »deiner«. In der ersten Strophe hatte das Wort Heiterkeit (Vers 5) bereits auf diesen Klang vorbereitet.

Die erste Strophe lenkte den Leser behutsam in die lyrische Beschwörung hinein. Die Zeitangabe »seit lange« (Vers 2) muß der Leser erst in eine Eigenschaft des Troges übersetzen. Sie gehört noch nicht zur vollen lyrischen Magie, ist noch halb auf der alltäglichen Ebene gesagt. Das Gedicht will den lyrischen Moment, das Imaginäre, aus einem Augenblick der Alltäglichkeit befreien, will zeigen, wie das anläßlich einer banalen Gebärde geschehen kann.

Im lyrischen Bereich des Imaginären, in dem die Magie der Sprache wirkt, bekennt sich das lyrische Ich dazu, nach der Lehre ästhetischer Askese zu handeln, die wir in Rilkes Gedichten nicht selten finden. In der zweiten Elegie ist von der »Vorsicht / menschlicher Geste« die Rede, wie sie auf attischen Stelen erscheint. [149] Die Lehre ästhetischer Askese, die zurückgehaltene Liebeserfüllung, soll ermöglichen, daß der erotische Reiz genossen und ästhetisch verwandelt werden kann. Eine solche Lehre ethisch ernst nehmen zu wollen, ist nichts als eine Verirrung. Rilke war selbst alles andere als ein Asket. Der zweiten Strophe unseres Gedichtes liegt die Freude über die Möglichkeit der Sublimierung des Erotischen zugrunde. Diese Freude kommt nicht nur durch die Bilder zum Ausdruck, sondern auch durch die Kommunikation zwischen erster und zweiter Strophe. Die erste Strophe beschreibt nicht so sehr einen Vorgang, der ein Gleichnis für die zweite

Strophe bildete, vielmehr stellt sie einen schwebenden Zustand zwischen alltäglicher Welt und dem Imaginären her, zwischen Prosa und Vers. Auf diese Weise übernimmt der Vers die Funktion, eine imaginäre Welt zu tragen, in der auch die Lehre der ästhetischen Askese gelten kann. Dies ist hier die Leistung des Spiels zwischen Vers und Prosa in der ersten Strophe.

Sehen wir uns jetzt ein ganz anderes Beispiel an, ein Gedicht von August Stramm: [150]

    Begegnung

    Dein Gehen lächelt in mich über
    Und
    Reißt das Herz.
    Das Nicken hakt und spannt.
5   Im Schatten deines Rocks
    Verhaspelt
    Schlingern
    Schleudert
    Klatscht!
10 Du wiegst und wiegst
    Mein Greifen haschet blind.
    Die Sonne lacht!
    Und
    Blödes Zagen lahmet fort
15 Beraubt, beraubt!

Vers 1 läßt metrisches Lesen zu, das aber von der Ein-Wort-Zeile »und« jäh gebremst wird. Vers 3 hat zwei Hebungen und eine starke rhythmische Bewegung. Die eine Senkung bringt kaum ein Fließen zustande. Zwei dreihebige, metrisch zu lesende Verse folgen, wieder unterbrochen von Ein-Wort-Zeilen mit einer Hebung, die ihren Klang dem Leser oder Hörer aufdrängen, ihm unmittelbar nahebringen wollen. Vers 10 hat zwei Hebungen und kann wieder als Vers gelesen werden. Eine gewisse tänzerische Ordnung wird suggeriert, die in sich schwingt, sich dem unmittelbaren Zugriff entzieht. In diesem Vers zeigt sich der rhythmische Sinn der metrisch zu lesenden Verse 1, 4, 5 und 10. Ihre tänzerische Ordnung distanziert sich von den leidenschaftlich drängenden anderen Aussagen des Gedichts. Sie suggeriert Unerreichbarkeit, sie ist das sprachliche Zeichen für eine Spielebene, die sich von der Wirklichkeit absetzt. Der Rhythmus dieser Zeile wie auch der der ersten beschwört das gesicherte Anderssein der begegnenden Frau. Die »wiegende«, tänzerische Art ihres Ganges steht im Kontrast zu der Wirkung im Bewußtsein des Sprechers. Dieses Bewußtsein reflektiert zunächst nicht. Es hat nur ein erregendes Moment gespürt, und es verliert sich im Schattenspiel der Falten des Rockes, dabei immer erregter werdend. Vers 11: »mein Greifen haschet blind«, wieder metrisch zu lesen, gestaltet den versuchten Eingriff des lyrischen Ich in die tänzerische Ordnung. Der vorhergehende Vers »Du wiegst und wiegst« hatte diese Ordnung auf ein Gleichmaß der Klänge reduziert; diese Reduktion wird durch die Zweihebigkeit des Verses bewußt; dem entspräche »mein Greifen haschet«. Verschiedene Klänge zwar, denn das Haschen ist ja nicht in sich harmonisch, aber die Zweihebigkeit würde den Vers an den vorigen anpassen, und die Teilnahme des lyrischen Ich an der tänzerischen Ordnung wäre gelungen. Das geschieht aber nicht. Das Wort »blind« fügt eine dritte Hebung hinzu, die Begegnung ist nur ein Verfehlen, ein Vorbeigehen. Ein sprachliches Klischee: »die Sonne lacht« wird zu einem Hohnlachen der gleichgültigen Natur. Eine zweite »und«-Zeile (13) ist wie ein Hohn auf die erste; wieder bringt sie den rhythmischen Fluß zum Stehen und wirkt zugleich integrierend. Die Ganzheit des Gedichtes entsteht jedoch hauptsächlich aus den beiden Schlußversen, in denen das Bewußtsein reflektiert. Es wird sich seiner Schüchternheit bewußt. In einer Art von Selbstspott sind diese Verse wieder metrisch, der eine ist trochäisch, der metrische Rhythmus macht hier jedes Wort eindringlich. Wie Vers 1 und 4, die Gehen und Gruß der Frau bezeichnet hatten, ist Vers 14 vierhebig. Der letzte Vers ist konzentriert auf einen Gleichklang: »beraubt, beraubt!«. Er ist ein Echo der »Frauenzeile«: »du wiegst und wiegst« und ist jambisch wie diese; die Erregung ist zum Schluß wieder ein wenig angestiegen.

Die Unterbrechungen des Versflusses haben hier die Funktion, das in sich gesichert erscheinende fremde Dasein der gehenden Frau von dem aufgewühlten Bewußtsein des erregten, aber schüchternen lyrischen Ich abzusetzen. Die einzelnen Verse oder Nicht-Verse gewinnen ein besonderes Gewicht. Man kann zwar sagen, daß die Absicht erreicht wird, es schleicht sich aber ein Gefühl der Unangemessenheit ein. Die expressiven Durchbrechungen des Versmaßes entfalten eine Energie, die dem alltäglichen und eher humorvollen Thema des Gedichtes nicht gerecht wird.

Viel angemessener ist ein solcher Stil, wenn das Thema eine Ausnahmesituation des Bewußtseins ist. Sehen wir uns zum Vergleich ein Kriegsgedicht von Stramm an: [151]

Patrouille

Die Steine feinden
Fenster grinst Verrat
Äste würgen
Berge, Sträucher blättern raschlig
Gellen
Tod.

Der erste Vers hat Auftakt, die übrigen sind trochäisch. Der Auftakt und die verschiedene Länge der übrigen Verse hindern ein regelmäßiges Fließen. Vielmehr ist jeder Vers für sich eine Einheit. Die Wirkung ist, daß sich die Gegenwelt, die Kriegslandschaft, nicht zusammenschließt. Man kann das leicht ausprobieren, indem man durch leichte Veränderungen eine durchgehende trochäische Zweihebigkeit herstellt:

Steine feinden
Fenster grinst
Äste würgen
Berge, Sträucher [152]
blättern raschlig

Auch dies ist noch eine unheimliche Welt, aber sie wäre stärker integriert. Der Text Stramms wirkt dieser Integration entgegen, und so hat es Konsequenz, wenn aus dieser feindlichen Gegenwelt, die das lyrische Ich angstvoll allein läßt, das gellende Geschoß des Todes bricht. Das Wort »gellen«, kein Vers mehr, zieht die Feindlichkeit der Gegenwelt in sich zusammen. Das letzte Wort, ebensowenig ein Vers, nimmt Distanz, löst die Beschwörung des Momentes auf und deutet die Angst, die in der Gegenwelt verborgen war.

Eines der letzten Gedichte Georg Trakls hat das Zerbrechen selbst, eine Grenzsituation des lyrischen Ich, zum Thema: [153]

Klage

Schlaf und Tod, die düstern Adler
Umrauschen nachtlang dieses Haupt:
Des Menschen goldnes Bildnis
Verschlänge die eisige Woge
5   Der Ewigkeit. An schaurigen Riffen
Zerschellt der purpurne Leib.
Und es klagt die dunkle Stimme

Über dem Meer.
Schwester stürmischer Schwermut
10 Sieh ein ängstlicher Kahn versinkt
Unter Sternen,
Dem schweigenden Antlitz der Nacht.

Der erste Vers ist vierhebig und trochäisch. Der zweite verhindert das Weiterfließen dieses Versmaßes durch seinen Auftakt, aber er kann vierhebig jambisch gelesen werden. Auch Vers 3 hat Auftakt, man ist freilich unsicher, ob man die letzte Silbe als Senkung lesen, also den Vers dreihebig auffassen oder zwei Hebungen auf »Bildnis« fallen lassen soll. Vers 4 ist dreihebig und jambisch, er führt in dem Wort »eisige« eine zweisilbige Senkung ein. Vers 5 ist jambisch und vierhebig, allerdings durch den Satzschluß so zerrissen, daß er kaum als Vers wirkt, weil die rhythmische Umgebung ja auch unsicher ist, also nicht in der Lage, der Spannpause des Satzschlusses entgegenzuwirken. Auch er weist eine zweisilbige Senkung auf, wieder in einem Adjektiv (»schaurigen«), Vers 6 ist wieder dreihebig und hat ebenfalls einen Adjektiv-Daktylus (»purpurne«).

Vers 7 ist dadurch ausgezeichnet, daß er das schon verloren geglaubte trochäische Metrum wiederherstellt, das von nun an bis zum vorletzten Vers gilt. Vers 7 hat einen ganz regelmäßigen vierhebigen metrischen Rhythmus; es kommen nur einsilbige Senkungen vor. Der Vers weist rhythmisch auf Vers 1 zurück. (Das Komma in Vers 1 bezeichnet keine Sprechpause.) Aber die Klage der dunklen Stimme kann sich nicht ausschwingen. Vers 8 fängt zwar mit einer Hebung an, gerade genug, um die Zeile zu der rhythmischen Gruppe der Verse 7—11 stellen zu können. Von der ersten Hebung wird über zwei Senkungen hinweg ein Bogen zu der zweiten Hebung auf »Meer« geschlagen. Zwar sind zweisilbige Senkungen schon mehrfach vorbereitet, dennoch ist diese Versgestalt im Rahmen dieses Gedichtes fremd. Rhythmisch ist die Zeile gleich dem Schluß des zweiten der Gedichte, die Goethe *Wanderers Nachtlied* überschrieb: »Ruhest du auch«. Trotz der wechselnden Verslänge der übrigen Verse erzwingt die Zweihebigkeit dieser Zeile eine Pause.

In Vers 9 und 10 wird die Schwester als Zeuge für das Versinken des Kahns aufgerufen, Vers 9 ist dreihebig, Vers 10 vierhebig, beide Verse haben daktylische Adjektive. Vers 11 ist wieder zweihebig, diesmal sind es zwei Trochäen, der Vers fällt also weniger aus dem Rahmen als Zeile 8. Eine Pause ist auch hier anzunehmen. Der letzte Vers beendet die Gruppe der Verse, die mit einer Hebung begannen, er hat wieder Auftakt. Der Vers ist dreihebig und hat zwei Senkungen nach der ersten und zweiten Hebung, erinnert also an einen klassischen Vers.

Die Beschreibung der metrisch-rhythmischen Verhältnisse ergibt zweierlei: 1. eine solche Beschreibung ist mit den herkömmlichen Begriffen möglich. Das Gedicht bezieht sich also auf traditionelle metrisch-rhythmische Erwartungen. 2. Eine Anzahl von Veränderungen: Verslänge von drei oder vier Hebungen, dazu zwei Kurzzeilen, Wechsel von trochäischem und jambischem Vers und umgekehrt und eingestreute zweisilbige Senkungen verhindern einen gleichmäßigen Versfluß, ohne in bloße Willkür auszuarten.

Der Sprecher bezeichnet sich selbst durch die Synekdoche »dieses Haupt«. Als Zeuge tritt »die Schwester« hinzu, die angeredet wird wie das lyrische Ich in Rilkes *Ausgesetzt auf den Bergen des Herzens* oder wie der Widmungsträger in mehreren von Hölderlins Gedichten. Das lyrische Ich ist also durch »dieses Haupt« und die Zeugenschaft der Schwester bezeichnet. Der Leser kann sich in dieses Verhältnis einfügen. Es ist freilich auch möglich, daß er sich ausgeschlossen fühlt und das Gedicht unter der Predigtstruktur auffaßt wie andere Weltuntergangsgedichte des Expressionismus. Auch in dieser Hinsicht eignet dem Gedicht eine gleichsam schwebende Qualität.

Die Bilder, in denen das Gedicht sich ausspricht, lassen sich um drei Kerne gruppieren. Zuerst ist von »diesem Haupt« die Rede, das zwischen Schlaf und Wachen schwebt, bedroht vom Tod, der dem Schlaf sehr nahe steht (man kann diese Aussage kaum von dem biographischen Faktum trennen, daß Trakl drogensüchtig war und kurze Zeit nach der Niederschrift dieses Gedichtes an einer Drogen-Überdosis starb). Der Gedanke drängt sich dem Ich auf, daß »des Menschen goldnes Bildnis« verschlungen werden könnte. Dieser Gedanke ist zunächst nur als Möglichkeit, konditional, ausgedrückt. Dieses erste Bild: das von Schlaf und Tod sowie seinem schrecklichen Gedanken bedrängte Ich reicht bis zum Satzende in Vers 5. Das nächste Bild ist im Indikativ gehalten. Dem »goldenen Bildnis«, einem Gedankenbild, entspricht nun »der purpurne Leib«. Das Wort »purpurn« ist wie die meisten Farbmetaphern bei Trakl zweideutig, [154] es ist oft mit Zerbrechen und körperlicher Qual verbunden, die Vorstellung des Blutes liegt dieser negativen Bedeutung zugrunde; es kann aber auch positiv bewertet sein, die Farbe der Könige ist ebenfalls im Hintergrund anwesend. Wir können in unserem Falle von der Zweideutigkeit ausgehen. Der purpurne Leib ist der Träger des goldnen Bildnisses, der Hoffnungen des Menschengeschlechts, wie sie durch Jahrhunderte des Humanismus genährt wurden. Aber er ist auch kreatürlich und verletztlich und muß »zerschellen«, wenn er einer übermächtigen Belastungsprobe ausgesetzt wird. In unserem Gedicht zerschellt er tatsächlich, Menschenleben wird zerstört, wie Trakl es in den ersten Kriegswochen zu seinem Entsetzen hatte erleben müssen. In diese zweite Bildgruppe gehört die Klage, der eigentliche Mittelpunkt des Gedichtes. In der letzten Gruppe erscheint ein neues Bild, das Versinken eines Kahns, für das die Schwester zum Zeugen aufgerufen wird. Die Grenzen dieser drei Bildgruppen sind nicht eindeutig durch den Wechsel der rhythmischen Mittel bezeichnet. Nur die Pause am Ende von Zeile 8 bezeichnet einen Sinnabschnitt. Der Wechsel zwischen dem trochäischen und jambischen Versmaß geschieht unabhängig von dem des Sinnes und betrifft das ganze Gedicht.

Die Ganzheit des Gedichtes wird einmal durch einen gemeinsamen Hintergrund aller Bilder hergestellt, es ist das Motiv des Meeres. Schon die »eisige Woge der Ewigkeit«, eine Metapher des Gedankentraumes (erste Bildgruppe), schlägt das Thema an. In der zweiten Bildgruppe ist das Meer als Raum der Klage genannt, und auch die »Riffe«, an denen der Leib zerschellt, ordnen sich in das Meerbild ein. Den versinkenden Kahn in der dritten Bildgruppe und die Sterne im »schweigenden Antlitz der Nacht« wird man nun ebenfalls im Raum des Meeres sehen.

Und dennoch bilden die drei Bildgruppen keine sichere Einheit. Von dem Unterschied zwischen Konditionalis und Indikativ war schon die Rede. Das goldene Bildnis und der purpurne Leib sind nicht identisch, das eine ist Idee, der andere repräsentiert die vor den Augen des lyrischen Ich Sterbenden. Und doch gehören beide auch zusammen. Was auf den Schlachtfeldern geschieht, widerstrebt der humanen Idee und zeigt die dämonische Kraft an, diese selbst auszulöschen. Der »ängstliche Kahn« in der dritten Bildgruppe ist wohl durch den Anruf der Schwester festgelegt auf den Sprecher, man darf hier ausnahmsweise sagen: Trakl selber, so sehr ist seine Existenz betroffen. Die Rolle der Schwester in dem fast gleichzeitigen Gedicht *Grodek* unterstützt diese Annahme. Freilich ist diese Interpretation beeinflußt von dem, was wir sonst über das enge Verhältnis Trakls zu seiner Schwester wissen.[155] Auch das Adjektiv »ängstlich« deutet darauf hin, daß der Sprecher sich in dem Kahnbild selbst meint. Das lyrische Ich, das ja schon von Anfang an von »Schlaf und Tod« bedroht war, ist im Begriff, das Schicksal des zerschellenden Leibes zu teilen, es fühlt sich als ein versinkendes. Die Sterne könnte man als Anzeichen einer vagen und fernen Hoffnung vielleicht religiöser Art auffassen, aber das Schweigen im Antlitz der Nacht relativiert diese Hoffnung wieder. Ein Zeigen und Wieder-Entziehen der Bilder, wie wir es schon in Rilkes *Ausgesetzt auf den Bergen des Herzens* gefunden haben, herrscht auch hier vor. Ein Bild gleitet in das andere über, identifiziert sich mit ihm und gleitet weiter zum Versinken. Was übrig bleibt, ist die klagende Stimme über dem Meer und das »schweigende Antlitz der Nacht«, wohl auch »Schlaf und Tod die düstern Adler«. Diese Verse formen kein Gedicht unter sich, sondern werden, wie oben beschrieben, durch sanfte, aber deutliche Mittel daran gehindert, sich zusammenzuschließen.

Es sei noch angemerkt, daß Vokalgleichklänge integrativ wirken, aber auch hier kann man beobachten, wie die Gleichklänge auf Wörter fallen, die, nebeneinandergestellt, die Unversöhnbarkeit des Gedichtes herausstellen. Das gilt vor allem für das o von »goldnes« in Vers 3, das mit »Tod« in Vers 1 und der verschlingenden »Woge« in Vers 4 korrespondiert. Dem ei-Laut von »Ewigkeit« war schon »eisige« vorhergegangen und der gleiche Klang ist in dem Diphthong des Wortes »Leib«, das hier einen im Augenblick zerschellenden Menschen bezeichnet. »Bildnis« (Vers 3), das zur »Idee« gehört, hat das i-Thema gemeinsam mit »Riffen« (Vers 5), der dunklen, klagenden »Stimme« (Vers 7) und »versinkt« (Vers 10). Der a-Klang von Schlaf (Vers 1), ein Wort, das neben Tod zunächst noch tröstlich wirkt, assoziiert sich mit »Adler«, also dem Bild, das es mit dem Tod teilt, mit »klagt« (Vers 7) und dem sinkenden »Kahn« (Vers 10). Auch das kurze a in »nachtlang« (Vers 2) und »Nacht« (Vers 12) gesellt sich dazu. Das Gedicht beschwört eine Grenzsituation herauf. Das lyrische Ich findet sich in einem Zustand des Versinkens, ihm entgleitet und versinkt auch seine Bild-Gegenwelt. Dieser Situation ist die rhythmische Gestalt angemessen.[156]

Eine Grenzsituation wird auch in einem der bekanntesten deutschen Gedichte ins Wort gebracht, das zweite der beiden Gedichte, die unter der Überschrift *Wanderers Nachtlied* in Goethes Gedichten stehen:

> Über allen Gipfeln
> Ist Ruh,
> In allen Wipfeln
> Spürest du
> 5 Kaum einen Hauch;
> Die Vögelein schweigen im Walde.
> Warte nur, balde
> Ruhest du auch.

Der erste Vers scheint zunächst ein dreihebiges trochäisches Metrum festlegen zu wollen, er ist aber durch Zeilensprung eng mit der kurzen folgenden Zeile verbunden, die zwei Betonungen nebeneinandersetzt und dann eine Pause verlangt. Danach setzt Vers 3 mit Auftakt ein, ist also jambisch aufzufassen. Aber das folgende »Spürest du« ist nicht jambisch, ist überhaupt kein Vers. Die nächste Zeile: »Kaum einen Hauch« hat gleichstarke Betonungen auf dem ersten und dem letzten Wort, schlägt einen rhythmischen Bogen. Von einem Metrum ist kaum etwas zu spüren. Aber die Erinnerung an ein Metrum geht nicht verloren. Vers 6: »Die Vögelein schweigen im Walde«, ist eine Volksliedzeile, in der normalerweise Freiheit zwischen ein- und zweihebiger Senkung herrscht. Zwei frühe Abschriften des Gedichtes haben übrigens »Vögel«, eine Version, die im Volksliedvers ebenfalls möglich ist und den Charakter des Verses bestätigt. Vers 6 hat wie Vers 3, aber keiner der anderen Verse, Auftakt. Auch inhaltlich hat Vers 6 eine besondere Funktion. Er erinnert an die Anwesenheit anderer Lebewesen außer dem lyrischen Ich, das auf die Landschaft blickt, das aber von diesen anderen Lebewesen, vertreten durch die Vögel, verlassen ist, denn sie »schweigen«. So bereitet der Vers die reflektive Wendung der beiden Schlußzeilen vor.

Wie in den Gedichten von Trakl und Stramm gibt es also eine Minderheit von Zeilen, die regelrechte Verse sind und die Funktion haben, die Erwartung des Hörers aufrechtzuerhalten, sein Gefühl nicht ganz verlorengehen zu lassen, daß ein Spiel zwischen Metrum und Rhythmus eigentlich das Normale sei. Die Volksliedzeile Goethes: »Die Vögelein schweigen im Walde« hat sogar eine überraschend ähnliche Funktion in *Wanderers Nachtlied* wie der Vers »und es klagt die dunkle Stimme« in Trakls *Klage*. Wie bei Trakl gibt es in *Wanderers Nachtlied* den Wechsel von Versen mit und ohne Auftakt und hier wie dort Pausen, die den immer wieder neu angefangenen lyrischen Fluß aufhalten, zum Verstummen bringen. Wie in den hier besprochenen Gedichten Stramms – wenn auch weit wirkungsvoller – haben wir eine Schlußwendung, die die Situation des Gedichtes zusammenfaßt, sich ihr bewußt gegenüberstellt.

Die Einheit des Gedichtes wird zum großen Teil durch Wiederholung von Vokalklängen hergestellt. Das ist auch oft genug bemerkt worden, besonders die u- und au-Klänge fallen auf, aber auch der a-Klang in der Schlußwendung. Es sei auch hier noch einmal darauf hingewiesen, daß dieser Klangzauber nicht von sich aus bereitliegt, sondern erst im Gedicht konstituiert wird. Der ü- und i-Klang in den ersten vier Zeilen trägt dazu bei, die u-Klänge besonders zu vertiefen.

Das Klangsystem hat sein Zentrum in der Zusammenfügung von »Ruh« und »du«, die, von »nur« unterstützt, in den beiden Schlußversen wiederkehrt. Ebenso wie die Wiederkehr des Klanges in den Wörtern »goldenes« und »Woge«, »Bildnis« und »Riffe« in Trakls Gedicht die konträre Spannweite seiner Bilder anzeigt, so beschwört das Gedicht Goethes die Beziehung von »Ruh« und »du«. In Goethes Gedicht erfährt das lyrische Ich die Grenzsituation des Menschen, das Vorwissen des Todes, zugleich mit einem beruhigten Augenblick der Natur, dem allerdings das Unheimliche nicht fehlt (die Vögel schweigen). Das Gedicht beschwört das Einverstandensein des lyrischen Ich mit dem vorauserlebten eigenen Tode, der Ruhe im Aufhören aller Bewegung und allen Lebens. Die beiden einzigen Zeilen, die rhythmisch gleich sind und obendrein miteinander reimen, sind Vers 5 und Vers 8: »Kaum einen Hauch« und »Ruhest du auch«. Zum Aufhören der Bewegung und des Lebens paßt der gestaute Rhythmus, der Pausen verlangt und vor Vers 6 nicht recht zum Fließen kommt. Die Übereinstimmung mit Trakls Gedicht wird deutlich, aber auch der Gegensatz zwischen *Wanderers Nachtlied* und *Klage:* Das Ich Trakls, das versinkt, ist weit von einem Einverstandensein entfernt, es wehrt sich klagend gegen das Versinken. Auch der Reim in Goethes Gedicht trägt zu seiner Einheit bei, während man sein Fehlen in Trakls Gedicht sofort mit dem Entgleiten der Bilderwelt in Zusammenhang bringt.

Wenn wir feststellen, daß Goethes einheitliches Naturbild, in das sich das lyrische Ich einstimmt, von Trakls entgleitender Bilderwelt verschieden ist, dann wollen wir uns hüten, allzuschnell eine weltanschauliche Begründung zu geben. Das Mittel des unregelmäßigen Rhythmus vor dem Hintergrund eines regelmäßigen, der gleichsam zitiert wird, fanden wir auch in Rilkes *An der sonngewohnten Straße.* Es wurde dort zu einem Zweck verwendet, der mit Grenzsituationen nichts zu tun hatte. Das Gedicht führte uns in den regelmäßigen Vers hinein.

Wichtiger ist, daß wir uns überlegen, welches die Funktion des Naturbildes in Goethes Gedicht ist. Das Landschaftsbild dient als Zeichen für die Stille, die wir Lebenden mit der Vorstellung des Todes verbinden, und deutet die Möglichkeit an, daß unser Verstummen im Tode der Ruhe in der abendländischen Landschaft gliche. Die Landschaft wird also bei Goethe wie bei Rilke und Trakl als Zeichen benutzt, sie bedeutet nicht sich selbst, steht auch nicht für den Glauben an das Wunder einer göttlichen Schöpfung, sondern deutet auf Menschliches hin. Dieses Menschliche ist freilich hier bei Goethe die Resignation, also das religiöse Einverständnis, daß wir geführt werden, wohin wir nicht wollen. Man kann aber nicht verkennen, daß das Bild selbst ein

Element willkürlicher Verfügung des Dichters über die Dinge der Welt einschließt.

Verfügung über die Dinge der Welt, Verfügung auch über die Sprache, dann aber Hinnahme der Dinge der Welt, Hinnahme auch der Möglichkeiten der Sprache, bilden eine Antinomie, die wir aushalten müssen. Es will mir scheinen, als ob die Notwendigkeit dieses Aushaltens auch ein Gesetz für die Lyrik in sich trage, das über Gelingen und Mißlingen entscheidet.

Im Gedicht beschwört das lyrische Ich einen Moment durch Sprache. Dieser beschworene Moment ist ein freies Spiel, noch wenn der Gegenstand eine Klage ist. Aber die Freiheit dieses Spiels ist begrenzt durch die Notwendigkeit eines Spielfeldes, das dem Spiel Struktur gibt, indem es orientiert. Ein typisches strukturelles Verhältnis ist, daß ein lyrisches Ich, die Identifikation des Lesers mit dem Sprecher des Gedichtes, sich in einer Gegenwelt findet. Zwar ist es unsinnig zu verlangen, die Gegenwelt sei der »Wirklichkeit« zu entnehmen, denn wir wissen nicht, was Wirklichkeit ist. Dennoch muß die Sprache des Gedichtes, soll sie den Leser erreichen und damit ein lyrisches Ich herstellen, soll sie sich auf einen Moment zu einer Gegenwelt zusammenschließen, auf den alltäglichen und über-alltäglichen Wortgebrauch der Leser Rücksicht nehmen. Die Grenzen dieser Rücksicht hinauszuschieben, hilft oft die Interpretation. Dennoch bleiben Grenzen der Freiheit des Sprach-Spiels, die zusammenhängen mit der Notwendigkeit, die Möglichkeiten der Sprache hinzunehmen.

In diesen Zusammenhang gehört auch das Spiel mit Metrum und Rhythmus. Beide Mittel gehören zur lyrischen Beschwörung wie die Klänge und die Wortbedeutungen. Sie helfen, der Gegenwelt des Gedichtes den Anschein der Notwendigkeit zu verleihen, als hätten diese Worte nur so und nicht anders zusammengeschlossen werden können. Mit diesen Mitteln kann man spielen, aber nur so lange, wie das Spiel bewußt bleibt, solange also mit Regelmäßigkeiten gespielt wird. Eine Lösung aus aller Regelmäßigkeit führt aus dem Bereich der Lyrik hinaus. Die Strukturbetrachtung kann und muß an diese Grenzen erinnern gegenüber einem fatalistischen Glauben an einen Ablauf der Geschichte, der darin bestehen soll, von Ordnung zu freier Willkür, von Verständigung mit dem Leser zur Abkapselung des Gedichtes zu führen.

XII

Struktur und Magie waren die leitenden Gesichtspunkte dieser Interpretationen. Beide Begriffe waren nur Aspekte, die uns gestatten, die Einheit des sprachlichen Kunstwerks in den Griff zu bekommen. Die beiden Aspekte ruhen auf Verhältnissen, die schon in der Sprache selbst gelten. Die Struktur orientiert den Leser im Sinne der Sonderwelt des sprachlichen Kunstwerks. Der Begriff »Struktur« bietet sich für die Sonderwelt deshalb an, weil sie in sich bestehen will. Die Struktur garantiert die Festigkeit, die Greifbarkeit, Verstehbarkeit der Sonderwelt. Der Oberbegriff ist »Orientierung«, und das ist natürlich auch eine Funktion der Sprache, die freilich nur denkbar ist, wenn die Sprache selbst in sich besteht, also kein willkürliches System von Lauten ist, sondern einen verstehbaren Zusammenhang hat. In diesem Sinne kann man etwa die Grammatik »Struktur« der Sprache nennen. Die Struktur der Dichtung setzt die Struktur der Sprache als verständlichen Sinnzusammenhang nicht einfach fort, weil sie eine Sonderwelt konstituiert. Die Verständlichkeit einer Sprache beruht ja nicht nur auf der Grammatik, sondern auch auf einigermaßen stabilisierten Wortbedeutungen, die der Sprachgemeinschaft ihre »Welt« erschließen. Die Sonderwelt des sprachlichen Kunstwerks beruht sowohl auf der Grammatik wie auf den normalen Wortbedeutungen, denn Sprache zielt auf Verständigung. Weil es sich im sprachlichen Kunstwerk um eine Sonderwelt handelt, passen sich die Wortbedeutungen der engeren Sonderwelt an. Für die Konstituierung dieser Sonderwelt ist die Frage, wer spricht und wie gesprochen wird, grundlegend. Das gilt besonders für die Erzählkunst, wo der Erzähler im Wechsel seiner Perspektiven erfaßt werden kann. Im Falle der Lyrik hatten wir die Kernvorstellung »lyrisches Ich« zu betrachten, die wir konstatieren, wenn die Sprache eines lyrischen Gedichtes den Leser zur Identifikation mit ihr einlädt. Das lyrische Ich identifiziert den Autor (dieses Gedichtes, nicht die ganze historisch bekannte Person) und den Leser.

Die Bildung einer sprachlichen Sonderwelt ist an sich nichts Besonderes, sie geschieht immer, wenn Sprache sich auf einen Gegenstand einläßt. In einer Gebrauchsanweisung müssen die zum Gebrauch notwendigen Teile, die Hebel, Knöpfe eines Gerätes beispielsweise, besonders definiert werden, damit die Sprache dann eine Vorstellung vom richtigen Gebrauch erwecken kann. Denn auch die bloße Vorstellung eines noch nicht oder nicht mehr aktuellen Vorganges wird ja alltäglich in der Sprache bewirkt und nicht nur in der Dichtung. Die Sprache selbst ist dichterisch, versicherten die Romantiker mit Recht. Sie ist es freilich im technischen Zeitalter nicht weniger als in den Zeiten, in denen man die Erscheinung von Göttern erwartete. Die Sonderwelt eines sprachlichen Kunstwerks bedarf einer besonderen Art der Suggestion, die wir bei aller Nüchternheit »Magie« zu nennen berechtigt sind, besonders im Falle der Lyrik. Sie faßbar zu machen, dient die Erkenntnis der besonderen Orientierung, der Struktur, weil sie den Blick freigibt auf die beschwörenden Phänomene der Sprache, die Auswahl der Wörter und Wortgruppen (Züge und Motive in fiktiven Sprachkunstwerken, in Prosa und Drama), die Klänge, Rhythmen und das Metrum (vorzugsweise in der Lyrik).

An dieser Stelle ist es nötig, auf die Unterscheidung der Gattungen einzugehen, von der schon in der Einleitung flüchtig die Rede war.[157] Ich habe mich schon dort geweigert, prinzipielle Gattungsunterschiede anzuerkennen. Es gibt überall Übergänge. Auch können sich Gattungsunterschiede nur auf äußerliche Kennzeichen der Darbietung stützen, die, weil es Zwischenformen gibt, nicht bis ins Prinzipielle reichen. Im Drama haben sich die Figuren vom Zuschauer gelöst und agieren als lebendige Schauspieler vor seinen Augen. Aber schon der Leser desselben Dramas vergegenwärtigt sich die Figuren in der Weise von Romanfiguren. Auch im aufgeführten Drama gibt es die Möglichkeit, durch einen erklärenden Spielleiter oder Erzähler epische Elemente einzuführen. Der Zweck ist dann, dem Zuschauer das Bewußtsein der Fiktion zu geben.

Fiktion entsteht in der epischen Erzählung aus der suggestiven Wirkung der Sprache, die eine Sonderwelt aufbaut. An der Eigenart der Sonderwelt wirkt der Erzähler wesentlich mit. Ohne mich auf die Probleme der Erzählstruktur im einzelnen einzulassen, muß ich die Rolle des Erzählers so kurz wie möglich zu umschreiben versuchen, um das lyrische Ich davon absetzen zu können. Zunächst einmal ist der Erzähler weder eine eindeutige Figur, noch identisch mit dem Autor des Romans. Letzteres eben deshalb nicht, weil der Autor eine Sonderwelt gründet und es an ihm liegt, wieviel er davon in den Roman eingehen lassen will und wieviel nicht. Der Erzähler der Tetralogie *Joseph und seine Brüder* ist ein anderer als der der *Vertauschten Köpfe*, der erstere hält den Doppelsegen aus der Höhe und aus der Tiefe, die Begabung mit Intellekt und zugleich mit pragmatischen Fähigkeiten sowie Schönheit für möglich, der andere nicht, mag es sich historisch auch um die gleiche Person handeln. Dann herrscht offensichtlich kein grundsätzlicher Unterschied zwischen dem in der ersten und dem in der dritten

Person erzählten Roman. Auch die *Bekenntnisse des Hochstaplers Felix Krull* haben einen hinter Krull, dem fiktiven Erzähler, stehenden Erzähler, der wiederum nicht ganz identisch ist mit Thomas Mann. Gerade in diesem Roman läßt sich stilistisch leicht zeigen, daß Krulls Stil sich zwar immer wieder, aber dennoch nur sporadisch durch Sprachklischees verrät, meistens ist es der Krull-Erzähler, der spricht. Auch neigen Ich-Erzähler immer wieder dazu, Ereignisse zu erzählen, die sie in ihrer Rolle nicht wissen können. Dafür bietet der Erzähler, manchmal auch direkt der Autor, gelegentlich treuherzige Entschuldigungen an.[158] Ein Perspektivenwechsel des Erzählers, der Wechsel von angeblichem Wenig-Wissen zu Mehr-Wissen, das Erzählen in der Perspektive einer Figur, die dann plötzlich verlassen und aus dem Abstand betrachtet wird, überhaupt ständiger, fast unmerklicher Perspektivenwechsel, ist das Normale. Der Erzähler ist zwar der Analyse faßbar, in manchen Romanen scheut er sich ja auch nicht, gelegentlich hervorzutreten, er ist aber niemals ein und dieselbe Figur, sondern er ist das, was dem Leser die fiktive Welt, die Sonderwelt des Romans entweder suggeriert (wenn er zurücktritt) oder distanziert vor Augen stellt (wenn er hervortritt).

Einen allwissenden Erzähler kann es schon deshalb nicht geben, weil es keinen allwissenden Leser gibt. Zwar kann der Erzähler mit dem Leser spielen, er kann sich dumm stellen und den Leser zum Widerspruch herausfordern oder ihn mehr erraten lassen, als er zu erzählen bereit ist, er kann den Leser sogar veranlassen, ihm nicht zu glauben. Aber der Spielraum dieser Freiheit ist begrenzt durch die Verständigungs-Funktion der Sprache. Der Erzähler bleibt auf alle Fälle eine Größe, die mit dem Leser in einer engen Relation steht. Der angeblich allwissende Erzähler, der in Romanen der Vergangenheit eine Rolle gespielt haben soll, war natürlich nicht allwissend, sondern teilte mit dem Leser eine leichter überschaubare Welt.

Leser und Erzähler gehören zwar zusammen, sind aber nicht identisch. Das Erzählen läßt sich zurückführen auf die mündliche Form: der Erzähler sitzt dem Zuhörerkreis gegenüber. Zwar kann auch Lyrik mündlich einem Zuhörerkreis vorgetragen werden, dennoch wird der Hörer wie der Leser eines Gedichtes stärker zum Mitschwingenlassen der Sprache in ihm selbst aufgefordert. Ein lyrisches Gedicht verlangt eine größere Aktivität. Der epische Leser läßt sich die fiktive Welt suggerieren, er nimmt teil, bleibt aber eher passiv. Diese Haltung, die der des Zuschauers im Theater ähnelt, begünstigt das Vorkommen verschiedener fiktiver Figuren, die aus einer gewissen Distanz betrachtet werden müssen. Man kann das zeigen an der Ironie, mit der selbst in einem naturalistischen Musterstück, wie *Papa Hamlet* von Holz und Schlaf, die Hauptfigur behandelt wird. Die Auswahl der sprachlichen Mittel sorgt dafür, daß der Leser über den alten Schauspieler lächelt, ihn vielleicht bemitleidet, aber sich nicht identifiziert. Auf diese Weise kommt auch die breitere Sonderwelt des Romans zustande, breiter gegenüber der engeren Gegenwelt des lyrischen Gedichtes.

Das lyrische Ich ist darum die Identität von Autor und Leser, weil das Gedicht den suggestiven Charakter der Sprache zur magischen Beschwörung steigert. Eine magische Beschwörung verlangt unmittelbare Teilnahme in der Form der Selbstverwandlung in den Sprecher, schließt also Mitleid und Ironie als Formen der Distanz aus. Passivität gegenüber lyrischer Sprache bedeutete, daß sie wirkungslos bliebe, der lyrische Moment käme nicht zustande. Fiktive Figuren können Teile der Gegenwelt sein, der Landschaft oder welchen sprachlich bezeichneten Raumes auch immer. Sie sind die Freunde im Kahn oder einfach »wir«, Reiseteilnehmer oder Mitmenschen. Sie sind dem lyrischen Ich wie selbstverständlich nahe, werden nicht aus einem Abstand »gesehen«. Das ist im Falle von Heyms Liebesgedicht so, in dem die anwesende Geliebte nur durch ihre langen Wimpern deutlich wird.[159]

Die selbstverständliche Anwesenheit der Personen, die durch ihre Rolle bestimmt sind, liegt dem mittelalterlichen Wechsel zugrunde, was wohl auch ein Grund ist, warum wir solche Gedichte eher lyrisch als dramatisch empfinden. Die Figuren entstehen nicht eigentlich als fiktive, sie laden eher zur Identifikation mit dem lyrischen Moment ein. Der mündliche Vortrag von Gedichten, die den Hörern durch eine bestimmte Konvention vertraut sind, begünstigt übrigens die Aktivität des Zuhörers, wie man ja auch Musik, deren Baugesetze man kennt, aktiver hören kann, als wenn man von Tonmassen sich überwältigen läßt. Konzentriertes, aktives Musikhören gelingt, mindestens dem musikalischen Laien, nicht allzu lange. So ist auch die beschwörende Funktion der Sprache nicht übermäßig lange aufrechtzuerhalten, eben weil sie konzentrierte Aktivität des Hörers oder Lesers verlangt. Ein rein lyrisches Gedicht, das auf der Magie der Sprache beruht, wird deshalb einen beschränkten Umfang haben müssen, oder es muß gut gegliedert sein, mit Neuansätzen der Beschwörung wie in den *Duineser Elegien*.

Dennoch sind alle diese Unterschiede nicht stichhaltig, wenn man sie zu prinzipiellen machen will. Das Spiel mit lyrischen Qualitäten ist in allen Formen und Zwischenformen möglich. Wer wollte einer Ballade wie Goethes *Erlkönig* lyrische Qualität ganz absprechen? Dennoch spricht dort ein Erzähler von fiktiven Figuren. Das ist eine epische

Tendenz. Der Erzähler hält den Abstand aufrecht, der nötig ist, um den Leser (oder Hörer) zwischen zwei Verständnisebenen schwanken zu lassen, der, in der es den Erlkönig gibt und der, in der es ihn nicht gibt. Die erstere ist sozusagen lyrischer als die letztere, was man auch stilistisch zeigen kann: Der Vers »und wiegen und tanzen und singen dich ein« ist so lyrisch, daß die Sprachmagie die Grammatik stört, denn das trennbare Präfix »ein« paßt auf wiegen und singen, nicht auf tanzen. Dagegen sind Frage und Antwort der beiden ersten Verse: »Wer reitet so spät durch Nacht und Wind? / Es ist der Vater mit seinem Kind« und die beiden letzten Verse: »Erreicht den Hof mit Mühe und Not; / In seinen Armen das Kind war tot« bis zur Grenze des Komischen distanziert, nüchtern, episch. Andererseits können Stellen in Romanen vorkommen, wo die Landschaft nicht nur beschrieben wird, sondern wirklich spricht. Als Beispiel diene hier eine unscheinbare Prosastelle aus *Effi Briest*. In Effis letzten Tagen verfolgt sie auf Spaziergängen das Treiben auf dem Bahndamm. »Züge kamen und gingen, und mitunter sah sie zwei Rauchfahnen, die sich einen Augenblick wie deckten und dann nach links und rechts hin wieder auseinandergingen, bis sie hinter Dorf und Wäldchen verschwanden.«[160] Die Stelle ist durch das epische Präteritum und durch den Prosarhythmus von lyrischer Qualität getrennt, hat aber sonst starke lyrische Potenz. Sie kann nur verstanden werden, wenn der Leser sich mit Effi identifiziert und sich selbst in der Effi-Rolle in einer Gegenwelt wiederfindet. Die Rauchfahnen sind dann das Zeichen der bloßen Berührung, des Aneinander-Vorübergehens, also des Mangels an Liebe und Treue, der Nicht-Annahme der Person. Fontane legt diese Deutung nahe, indem er unmittelbar anschließend an die Anwesenheit Rollos erinnert, Effis Hund. – Auch gibt es lyrische Stellen in Dramen und zwar nicht nur in Chorliedern, sondern überall dort, wo die fiktive Welt des Dramas gleichsam in den Hintergrund tritt, die Sprache einer Person aber so auf den Zuhörer zukommt, daß er zur Identifikation veranlaßt wird.

Wenn man den Begriff »lyrisch« auf Sprachkunstwerke sinnvoll anwenden will, muß man sich von einer bestimmten Vorstellung leiten lassen. Ich glaube, daß eine solche Vorstellung durch die Praxis der Interpretation gewonnen werden muß. Das war die Absicht der in diesem Buch vorgelegten Deutungen. Es wäre freilich eine Selbsttäuschung, wollte irgend jemand annehmen, er könne unbefangen von Vorurteilen an die Interpretation herangehen. Wohl aber kann man ältere Begriffe überprüfen. Ich halte eine Reihe von Begriffen für ungeeignet, um Lyrik in den Griff zu bekommen. Von »Wirklichkeit« und »Symbol« war schon in den ersten Anmerkungen die Rede. Ebenso unzweckmäßig ist die Unterscheidung von Subjekt und Objekt und die Zuweisung des Subjektiven an die Lyrik. Das Verhältnis von Subjekt und Objekt ist eine bloße Relation von jeweils aktueller und daher begrenzter Geltung. Dieser Relation den metaphysischen Wert einer Grundstruktur der Welt zuzuschreiben, ist längst als absurd erkannt. Das aktive Subjekt konstituiert sich durch ein passives Objekt als ein handelndes. Das lyrische Ich findet sich in oder an der Gegenwelt. Es identifiziert sich mit ihr, empfindet die Gegenwelt als momentanen Ausdruck seiner selbst oder findet sich an ihr, weil es sich zunächst als von ihr ausgeschlossen findet, wobei es sie aber trotzdem beschwört, also im magischen Bereich des Imaginären ihr eine Stelle zuweist, wie zum Beispiel im Dinggedicht. Die Gegenwelt des lyrischen Ich ist kein Widerstand, der zum Handeln anreizt, zur Veränderung des Objektzustandes. Sie besteht nur für den lyrischen Moment, baut sich auf und zerfällt wieder. Sie besteht tatsächlich aus nichts als aus Worten, die sich aufeinander und auf das lyrische Ich beziehen. Ihr fehlt jede Festigkeit, das zeigt sich auch an dem Dinggedicht, das Gedicht nur dadurch werden kann, daß es sich als Gegenwelt konstituiert. Es lebt also nur aus der Relation zum lyrischen Ich. Ein Versuch, die Statik eines Gebäudes zu versifizieren wäre absurd, es sei denn, diese Statik bezöge sich als Zeichen auf das lyrische Ich.

Die Lyrik beschwört auch keinen Zustand im Gegensatz zu den fiktiven Formen, die Handlung darstellten. [161] Im lyrischen Gedicht kann sehr wohl Zeit vergehen, wenn auch Beschwörung und Identifikation dazu tendieren, die Illusion der Zeitentrücktheit hervorzurufen. Ich spreche von der »Beschwörung eines Momentes«, um anzudeuten, daß ein zeitliches Moment in der Lyrik wohl möglich ist, daß es aber undeutlich bleibt und zum zeitlosen Moment hin ausgerichtet. Die Ansicht, die Lyrik spreche einen Zustand aus, impliziert, wie das Sprechen von »Wirklichkeit« im absoluten Sinne, die Anschauung einer statischen Welt, die auch im lyrischen Gedicht nachgebildet sei.

Die Interpretation, die nach Struktur fragt, und die Frage nach der historischen Einbettung eines sprachlichen Kunstwerks sind nicht etwa zwei Methoden, zwischen denen man wählen könnte. [162] Die eine ist ohne die andere nicht denkbar, beide haben verschiedene Voraussetzungen und leisten Verschiedenes. Die Geistesgeschichte, die sich mit der Goethezeit befaßt, hat eine gewisse Tendenz, die weltanschaulichen, das heißt religiösen oder quasi-religiösen Grundhaltungen aufzuklären, die

Autor, Leser und Figuren gemeinsam sind. [163] So gefährlich solche Fragestellungen auch sind, weil sie von der Frage nach der Beschaffenheit der Dichtung weg und auf eine Ersatzreligion hin führen können, sie sind nicht ohne Berechtigung, vor allem nicht für die historische Periode, die von der Goethezeit bis in die Gegenwart reicht. Es hat nämlich wenig Sinn, die Tendenzen, die zu der Ästhetik absoluter Poesie führen sollten, erst bei Baudelaire oder Poe beginnen zu lassen. Man kann die deutsche Romantik und die mit ihr auf so mannigfache Weise eng verbundene Klassik nicht draußen lassen. Der Ästhetizismus der Symbolisten, den man so gerne an den Anfang der modernen Lyrik stellt, ist schon in der klassisch-romantischen Periode der deutschen Literaturgeschichte ausgebildet, sogar theoretisch durch Kant, Schiller, die Schlegels und Novalis formuliert worden. Die Wertvorstellung der Kunst wurde auf so unerhörte Höhen erhoben, weil die Geltung der christlichen Religion als weltordnend und lebensbestimmend so fragwürdig geworden war, eine Wirkung der Aufklärung.

Im Falle der Lyrik liegt die Nähe zum Religiösen schon im beschwörenden Charakter der Sprache, der im Gebet auch in die Hochreligionen hineinreicht. Zwischen Gebet, dem zugehörigen Gemeindegesang und lyrischem Gedicht sind und waren immer Verbindungen möglich. Unser Beispiel war Claudius' *Abendlied*, in dem das lyrische Gedicht der Empfindsamkeit, das Gebet und die Predigt zusammentreffen. Die Predigt als Versuch, eine Hörergemeinde durch Beispiel, Mahnung und Schock, ausgehend von einer Bibelstelle, von der profanen Welt abzuziehen und in den religiösen Bereich der Überwältigung durch Kraft und Liebe Gottes zu versetzen, hat, wie wir gesehen haben, eine sehr große Nähe zu einer Sonderform der Lyrik, die wir in schockierenden und Weltuntergangs-Gedichten des Expressionismus finden.

Freilich erwarten wir, daß jedes lyrische Gedicht, jedes Sprachkunstwerk, einen Spielraum hat. Daß Kunst zwecklos ist, ein Spiel, ist eine Erkenntnis, die, von Schiller in der Nachfolge Kants ausgesprochen, von der Romantik zum Ästhetizismus radikalisiert, der Epoche von der Goethezeit bis heute zugrunde liegt. Die Tätigkeit des Künstlers wird herausgelöst aus der weltlichen Ordnung, wie vorher die des Priesters. Die Freiheit des Spiels impliziert auch die Freiheit von der Nachahmung der Natur und daraus fließt die Verfügungsberechtigung des Autors über seine Gegenstände, die verbunden ist mit einem quasireligiösen Glauben an die Kraft des Dichters, eine Welt neu zu schaffen.

Das antike Vorbild hat größere Bedeutung für Drama und Epos als für die Lyrik gehabt. Es wirkte als ein Gegengewicht gegen die vom Pietismus herrührenden spiritualen Tendenzen, ebenso wie Goethes

Naturstudien und Schillers Spieltheorie. Der Gedanke an griechische plastische Kunst, der Glaube an die Natürlichkeit der Griechen, half mit, der lyrischen Gegenwelt Gewicht zu geben. Es bleibt aber bestehen, daß der Gegenwelt etwas Übersteigendes innewohnt, das ein lyrisches Ich in religiöser Weise orientiert. Das läßt sich an Schillers Elegie *Der Spaziergang* zeigen, es gilt sogar noch für Goethes *Römische Elegien*, so sehr diese auch einem Akt der Selbstbefreiung ihr Dasein verdanken, der sich gegen die spiritualen Tendenzen richtet. Die Liebe in Goethes *Elegien* ist zwar reine Gegenwärtigkeit, ihr wird aber auch eine allverbindende und sinngebende, also religiöse Funktion zuerkannt.

Von Goethes Entsagung und seiner (damit zusammenhängenden) Naturfrömmigkeit bis zu den Ersatzreligionen der Jahrhundertwende reicht ein geistesgeschichtlicher Zusammenhang, mögen auch den einzelnen Erscheinungen ganz verschiedene Werturteile beizumessen sein. Natürlich gibt es den Gedanken, der Kunst religiöse Weihe zu geben, schon vor Goethe, wie es ja in der Geschichte überhaupt keine Sprünge gibt. Aber von der Klassik ab wird diese Ansicht die herrschende, die Romantiker aktivieren sie besonders. Auch die Philosophie wird einbezogen in den Zusammenhang, den Späterkommende als den »Geist der Goethezeit« verehrten, in popularisierter Form ungefähr beschreibbar als eine Einheit von Iphigenie-Humanismus, also der Heilbarkeit menschlicher Gebrechen, der Philosophie des Bewußtseins und des Willens, einer ästhetischen Weltanschauung, ausgerichtet auf einen sittlichen Weltsinn und »Größe«, verbunden mit einem vagen Freiheitsgefühl. Dies richtet sich gegen alles Bestehende und nährt den Glauben, hinter dem Offensichtlichen, Tatsächlichen, Vernünftigen und Nüchternen stände, dem Verstand nicht zugänglich, das Eigentliche und Wahre. Das ist keine geistesgeschichtliche Spekulation, sondern eine Beschreibung der ästhetischen Ersatzreligion, wie sie dem Schreiber dieser Zeilen überliefert wurde.

Eine solche »Weltanschauung« wirkte sich aus auf zwei geschichtliche Bewegungen. Einmal auf den Sozialismus, nicht nur seiner hegelschen Herkunft wegen, sondern auch weil das Ziel des goldenen Zeitalters einer humanen Freiheit für jedermann auch jenseits aller faktischen Möglichkeiten nicht aufhörte zu glänzen und gerade deshalb unzufriedene bürgerliche Intellektuelle anzog. Noch mehr aber führte der Komplex der deutschen Bildung am popularisierten »Geist der Goethezeit« dem Nationalsozialismus Anhänger und Mitläufer zu, aus vielen Gründen, vor allem aus der Tradition der Aufklärungsfeindschaft, die als Haß auf Liberalismus, Pragmatismus und das

System der Novemberverbrecher fortgesetzt wurde. Wie stark gerade die deutsche Literaturwissenschaft in dieser Richtung wirkte, bedarf nur dieses Hinweises. Die religiöse Weihe der Kunst ist keine nur nationaldeutsche Erscheinung. Sie gewann freilich eine besondere Bedeutung, weil Klassik und Romantik in der Abwesenheit eines deutschen Nationalstaates vor 1870 eine nationalistische Bedeutung als Sammelpunkt nationalen Stolzes bekamen. Die Verschiebung dieses Sammelpunktes auf militärische Macht als Folge der sogenannten Einigungskriege war geeignet, das deutsche nationale Pathos seltsam zu verzerren. [164] Der Nationalismus ist eine Pseudoreligion. Die Auffassung auch der Goethezeit als weltlicher Religion war geeignet, beides in einer Ideologie vom deutschen Wesen zu verschmelzen.

Hier ist nun die Stelle, zu fragen, ob wir Zeugen des Endes der Epoche sind, in der die Kunst die Funktion der Ersatz-Religion einnahm. Sie könnte sehr wohl ihre Definition und ihr Selbstverständnis als Spiel behalten. Marxismus und Nationalsozialismus haben geschichtliche Erfahrungen mit sich gebracht, die ästhetischen Weltanschauungen entgegenstehen. Der Charakter der ästhetischen Weltanschauung ist ein ihr innewohnender Sinn. Im Falle des Sozialismus war es der pseudo-chiliastische Humanismus der klassenlosen Gesellschaft, im Falle des Nationalsozialismus ein auf Heroismus (Größe) und Wille ausgerichteter Humanismus, der freilich mit einem pseudo-naturwissenschaftlichen Element, dem Biologismus, verbunden war, ebenso wie die sozialistische Erwartung einer Erlösung des Menschen von Ausbeutung mit ökonomischen Theorien gekuppelt wurde. Beide Humanismen forderten Massenopfer, weil sie Massenbewegungen nur bleiben konnten, solange sie als Quasi-Religionen ihre Wahrheit durch die Vernichtung von Ungläubigen oder Feinden sich bestätigten. Humanismus ist Selbstbestimmung des Menschen. Dabei ist ein »Menschenbild« leitend. Wer ihm nicht entspricht, ist überflüssig. Wer selber leben will, macht mit, wer mitmacht, will kein Mit-Mörder sein, also waren die Morde berechtigt und notwendig. Nun hat glücklicherweise die Zeit des Schreckens nachgelassen. Die chiliastischen Züge in allen Spielformen des Sozialismus treten zurück; das Mißverhältnis zwischen der Zahl und dem Leiden aller Opfer und auch nur dem, was allenfalls hätte erreicht werden können, genügte schon, um den Nationalsozialismus zu diskreditieren, seine völlige Niederlage hat dies nur offenbar gemacht. Die Erinnerung daran macht die weltanschaulichen Wahrheiten unglaubhaft, wenn auch leider nicht für alle Menschen. Aber doch für die meisten, die der deutschen Sprache künstlerische Form geben. Das Mißtrauen gegen den pseudoreligiösen Wortschatz wie

»Schöpfer«, »Genie«, »Schönheit«, »Streben«,»Geist«, das »Faustische«, »Weltbild«, »Menschenbild«, das Wort »Weltanschauung« selbst, auch das Wort »Dichter« auf dem Hintergrund des wertenden Kontrastes zu »Schriftsteller«, ferner, wenn auch erst langsam beginnend, aber keineswegs nur in diesem Buch, »Symbol« weist darauf hin, daß besonders die Weltanschauungen unglaubhaft wurden, die mit der weltlichen Religion der Goethezeit zu tun hatten, ja schließlich alle Weltanschauungen, die auf ästhetische Weise einen Sinn vertreten, so wie ein sprachliches Kunstwerk eine orientierende Struktur hat.

Ist die hier beschriebene Struktur von Gedichten an eine ästhetische, quasi-religiöse Weltanschauung geknüpft? Haben wir also Gedichte einer Epoche untersucht, die zu Ende geht? Dafür spricht, daß man Goethes Hingabe an die Landschaft als religiöses Motiv, als Resignation verstehen kann. Es meldet sich freilich sofort der Widerspruch, daß dieses religiöse Motiv mit dem eben beschriebenen Komplex fast nichts zu tun hat, weil es mit der idealistischen Philosophie, dem Glauben, daß das Bewußtsein sich die Welt baue, geradezu im Widerspruch steht. Gravierender ist, daß das lyrische Ich in oder an seiner »Gegenwelt« sich findet. Ist das nicht ein religiöser Akt? Er wäre es im Sinne der pseudoreligiösen Weltanschauung, wenn die Gegenwelt statisch wäre. Aber dies scheint mir nicht der Fall zu sein. Die interpretierten Gedichte von Goethe zeigten, daß ihre Gegenwelt, die Landschaften, in der Interpretation des Gedichtes nur mit dem lyrischen Ich zusammen Sinn hatten. Alle waren nur für den lyrischen Moment vorhanden und in ihm. Benns Landschaft in *Einsamer nie –*, von der das lyrische Ich sich distanziert, hatte mehr Konsistenz als die Goetheschen. Der Beitrag der Romantik zu der in Rede stehenden Epoche bestand in der radikalen Betonung des nicht-statischen Charakters der gedichteten Welt. Wie das fichtesche absolute Ich das Nicht-Ich setzte, so der Dichter seine Welt. Mögen auch die Hüter der reinen Lehre Fichtes gegen die romantische Verwechslung des absoluten mit dem empirischen Ich protestieren, diese Verwechslung, wie wir besser sagen wollen, des absoluten mit dem kreativen Ich bezeichnet den religiösen Charakter der Epoche, wenn wir bedenken, daß die so dichterisch geschaffene Welt der Romantiker ausdrücklich das Ich in seiner Alltäglichkeit übersteigen sollte.

Zwar ist es sicher, daß Goethe sich von romantischen Übertreibungen distanzierte. Es dürfte aber kaum möglich sein, Goethe auf eine statische Weltsicht festzulegen. Wir glauben nicht mehr, daß Faust oder die Turmgesellschaft in *Wilhelm Meister* [165] als nachahmenswerte Vorbilder einer alle Kräfte ausbildenden harmonischen Klassik gelehrt

129

werden könnten, und Goethes Äußerungen über Religion und Welt-anschauung sind vieldeutig genug. Der popularisierte Glaube an einen Geist der Goethezeit, der als pseudoreligiöse Lebenshilfe zu wirken imstande sei, beruht auf einer popularisierten und simplifizierten Vorstellung dieser Zeit. Sie war aber kräftig genug, die Ansicht zu stützen, das moderne Gedicht sei von dem Goethes zu unterscheiden, die Epoche, in die das moderne Gedicht gehöre, sei unbedingt nach der deutschen Klassik anzusetzen, da man eben allzuleicht ein Gedicht Goethes als harmonisch, klar, einer statischen Welt zugehörig und da-her leichtverständlich ansehen möchte.

Religiöse Bedürfnisse, die von den Kirchen nicht mehr oder ganz anders befriedigt wurden, sind seit dem Ende des 18. Jahrhunderts in das Gedicht der Epoche hineingeflossen und werden auch darin gesucht. Mir scheint die Anreicherung des Ästhetischen mit heimatlosen reli-giösen Strebungen das Kennzeichen der Epoche zu sein, von der die Rede ist. Auch haben ja die Kirchen einen gewissen ästhetischen Einfluß während dieser Zeit zu erleiden gehabt: der romantische Mythos-begriff beeinflußte die Ansicht von der katholischen Kirche, die ästhe-tische, schillerische Sittlichkeit die lutherische.

Da all dies sein Ende gefunden hat oder seinem Ende zugeht, bleibt die Möglichkeit bestehen, daß eine nüchterne Ansicht den Spielcha-rakter der Kunst so aus der Nachbarschaft des Religiösen löst, daß man eine neue Epoche ansetzen müßte. Darüber zu entscheiden, wäre zu früh. Da es Brüche in der Geschichte nicht gibt, wäre eine solche neue Epoche auch erst in der Ausbildung, kaum fertig und bestimmend da. Zu keiner Zeit kann der Gedichttypus, wie er in unseren Interpreta-tionen erscheint, als der allein maßgebende angesehen werden. Der Typus, ich wiederhole es, bezeichnet ein Gedicht, das ein lyrisches Ich herstellt, das sich in oder an einer Gegenwelt findet, wobei das Modell der Gegenwelt die Landschaft ist. Man kann ihn freilich als den Kern unserer Vorstellung von Lyrik ansehen. Dabei geht es um die Frage: Ist das Sich-Finden wirklich religiös motiviert? Es ist religiös, solange die Gegenwelt sich als größer, bedrohend oder entzückend, erweist, als der Verfügungsgewalt des lyrischen Ich entzogen, mit anderen Worten: wenn die Gegenwelt das lyrische Ich übersteigt, wenn das die Weise seines Sich-Findens ist. Dieses Übersteigen schließt allerdings den Spiel-charakter der Kunst nicht aus, gerade er hilft, das befreiende Sich-Finden möglich zu machen. Daß Spiel mit der Sprache zu einem be-freienden Erkennen führen kann, auch noch im Falle eines in seiner Grausigkeit uns übersteigenden Themas, wie dem der Vernichtungs-lager, zeigte Celans *Todesfuge*.

Das gilt freilich weniger für die Gedichte mit Predigtstruktur, einschließlich der schockierenden des Expressionismus. Aber diese Gedichte wurden in unsere Reihe ausdrücklich als Sonderform aufgenommen, die nicht zu der umschriebenen lyrischen Kernvorstellung gehört, sondern nur von ihr Gebrauch macht.

Die Dinge der Welt können als Material für menschliche Handlungen, als Objekte, erscheinen, aber auch als Zeichen für alles, das uns übersteigt, indem es uns aus unserer Alltäglichkeit herausreißt, als Bedrohung, Quelle der Freude oder Erkenntnis des Andersseins eines nicht-menschlichen Daseins. Die religiös gestimmte Lyrik unserer Epoche neigt zu der zweiten Möglichkeit. Das kann man am besten am »Dinggedicht« studieren, das sich nicht mit Dingen als Objekten menschlichen Handelns zu befassen pflegt. Ist die Epoche zu Ende, in der die Dinge sich zur sprachlichen Gestaltung einer Gegenwelt so anbieten, daß sie das Menschliche übersteigen? Das erscheint zweifelhaft, aber die Möglichkeit besteht. Unser Rückblick auf die *Merseburger Zaubersprüche* und das Kürenbergerlied zeigen allerdings, daß die Möglichkeit solcher Lyrik immer bestand. In beiden Fällen ist das lyrische Thema bestimmt von dem Motiv des Übersteigens, die mythische Heilung wie die schöne Wildheit des Falken. Aber beide Gedichte sind ausgesucht, so daß sie in unsere Betrachtung passen. Die Masse der überlieferten deutschen Lyrik vor Goethe läßt ihre Gegenwelt durch Konventionen mitbestimmen, was auch die Identifikation des lyrischen Ich erleichtert.

Von hier aus ist auch ein historischer Rückblick auf die Epochen vor der Goethezeit möglich. Lyrische Traditionen, etwa die Situationen der Schäferlyrik, machen die lyrische Gegenwelt dem lyrischen Ich leichter verfügbar. Das Spiel mit konventionellen Elementen geschieht in einer lyrisch-fiktiven Welt, die zwar von der alltäglichen Welt entfernt ist – auch das ist die Wirkung der Konvention – aber das Ich nicht, jedenfalls nicht notwendig, übersteigt. In der höfischen Lyrik des Mittelalters mit ihrer spielerischen Anbetung der hehren Frau liegen die Dinge wieder etwas anders. Die spielerische Verfügbarkeit der lyrischen Gegenwelt könnte in der zeitgenössischen Lyrik stärker wieder hervortreten. Manche Anzeichen sprechen dafür.

Die literarische Wertung wird beeinflußt von den Erwartungen des Lesers, die sich naturgemäß auf das in einer Epoche Übliche gründen, also auf das, was ich lyrische Kernvorstellung nenne. Man kann das an der Bewertung von Rilkes Lyrik zeigen. Die »mir zur Feier« gedichtete Jugendlyrik wurde vom Dichter selbst und von der Literatur über ihn abgelehnt. Die Lyrik des *Stundenbuches* erscheint vielen Lesern heute zweifelhaft. Einig ist man, daß mit den *Neuen Gedichten* der »eigentliche« Rilke beginne. Das Unbehagen gegenüber der frühen Lyrik beruht auf ihrem sentimentalen Stimmungscharakter. Nun sind das aber gerade die Kennzeichen der bis heute und jedenfalls zu Rilkes Zeiten üblichen Ästhetik: die Lyrik sei subjektiv und drücke Stimmungen aus. Die anfängliche Begeisterung für das *Stundenbuch* beruhte auf seinem religiösen Gebetscharakter (Rilke nannte die entstehenden Gedichte »Gebete«). Der Pariser Rilke entdeckte die Notwendigkeit einer Gegenwelt. Diese Gegenwelt entwickelte die Fähigkeit, das lyrische Ich zu übersteigen. Damit fügte sich Rilke in die von Goethe herkommende Epochentradition ein. Das romantische Erbe und die französischen Symbolisten bestätigten ihn freilich darin, daß jene Gegenwelt nicht mit der alltäglichen identisch ist, daß der Dichter gerade die Gegenwelten, die das lyrische Ich übersteigen, für das Gedicht (und für nichts sonst) aufbaut, daß sie Funktionen des lyrischen Ich sind. Eine fiktive Möglichkeit der Dinge, das Ich zu übersteigen, wurde übrigens in den *Aufzeichnungen des Malte Laurids Brigge* zum Thema, ein Werk, das nur ein Mißverständnis in die Entwicklung des modernen Romans einordnen kann. Es ist nur als Werk eines Lyrikers zu verstehen.

Ein anderes Beispiel für die wertende Wirkung der Erwartungen, die aus den Gewohnheiten der lyrischen Epoche stammen, ist die Abwertung gewisser Gedichte aus der Zeit zwischen Goethe und der Georges, Rilkes und Hofmannsthals, etwa der Lyrik Geibels. Die Abwertung bedient sich der lyrischen Gegenwelt und weist auf ihren imitativen Charakter hin. [166] Die Verfügbarkeit des Klischees hat zur Zeit von Geibels Berühmtheit geholfen, das lyrische Ich herzustellen. Aber der spätere Leser vermißt das Übersteigende in der Gegenwelt, weil er Geibels Lyrik mit der vorhergehenden und nachfolgenden vergleicht. An sich kann Verfügbarkeit der Worte infolge Wirkung einer Konvention keine negative Kategorie sein; sie würde zur Verdammung eines erheblichen Teiles deutscher Lyrik vor 1770 führen. Die Verdammung von Motivwiederholung als Klischee bezieht ihre Berechtigung aus dem historischen Kontext. Die Kritik an Geibels Lyrik ist sicher berechtigt, wenn sie auch anders zu begründen ist. Es wäre zu fragen, was Elemente der lyrischen Gegenwelt zu Klischees macht, während die Parodie einer Tradition große Kunst sein kann. In diese Frage ist auch das lyrische Ich einzubeziehen, in diesem Falle das Bedürfnis der Leser, das Geibel berühmt machte. Vermutlich ist Geibels Neigung zur Überfüllung der lyrischen Gegenwelt verantwortlich dafür, daß sich der Eindruck eines Klischees so schnell nahelegt. Die Überfüllung mit Bildern hindert die Integration einer Gegenwelt. Aber man müßte diesen überfüllten Stil begrifflich unterscheiden von der gleichsam gleitenden Bilderwelt, die wir in Heyms Liebesgedicht und Trakls *Klage* kennengelernt haben. Hier wird die Integration der Gegenwelt absichtlich verhindert.

So gewarnt gehen wir jetzt an die Frage heran, ob die hier gezeigte Interpretationsmethode Möglichkeiten der Wertung [167] eröffnet. Es gibt keinen gesicherten Wertmaßstab, der von außen an das sprachliche Kunstwerk angelegt werden kann. Wir können aber als Urteilende unsere Erwartungen nicht ausschließen, die im besten Falle von anderen Kunstwerken herrühren. Auch ist der Wertmaßstab des einheitlichen Stils eine Täuschung. Stilbrüche können sehr notwendige Kunstmittel sein, man müßte also intendierte Stilbrüche ausnehmen. Andererseits kann man die Intention allein auch nicht zum Maßstab machen, denn »gut gemeint« ist nahezu alles. Die Gefahr des Interpreten liegt nahe, die Bestätigung eines schlechten Eindrucks darin zu finden, daß er dem Dichter eine solche Intention unterschiebt, die es leicht macht, sie als nicht erreicht zu verurteilen.

Die gute Absicht des Dichters, überhaupt jede Absicht, von der er sich Rechenschaft geben kann oder will, jede ausgesprochene Absicht, muß nicht mit der Intention identisch sein, die der Interpret in einem sprachlichen Kunstwerk findet und als Aspekt der strukturellen Orientierung begreift. Die Intention ist die Struktur, die der Interpret in der Blickrichtung des Autors ansieht. Der Autor selbst brauchte sich keine Rechenschaft darüber zu geben. [168] Er fügt Worte zusammen, und sie scheinen ihm zu »stimmen«. Der Interpret versucht zu sagen, warum sie so und nicht anders mit dem Erfolg zusammengesetzt sind, daß sie stimmen, oder warum dieser Erfolg ausblieb. Der Autor kann sich sehr wohl täuschen, weil er gewollt oder ungewollt seinen Absichten eine unangemessene ästhetische Theorie unterschiebt oder von seinen Kritikern auf falsche Fährten gelockt worden ist.

Ebenso wie die von außen an das Kunstwerk herangetragene Erwartung kontrolliert sein sollte durch eine Kenntnis des historischen Horizontes (wie unvollkommen sie auch immer möglich ist), so sollte die Feststellung der Intention durch eine kritische Prüfung der strukturellen Orientierung bestimmt sein. Geschichte und Struktur-Interpretation sind in jedem Falle untrennbar miteinander verzahnt. Denn die Kenntnis des historischen Horizontes beruht auf den einzelnen Kunstwerken, die durch Interpretation erfaßt werden, schon auf der Auswahl unter dem unzählbar vielen (eine Wertung, die dem einzelnen Historiker zumeist durch Konvention abgenommen wird, nichtsdestoweniger aber eine Wertung ist). Die Orientierung der Struktur hat von vornherein ein historisches Element in sich.

Wir haben hier zu prüfen, ob die Struktur unserer lyrischen Kernvorstellung, mag sie nun für eine andauernde oder eine beendete Epoche gelten, zur Wertung von Gedichten beiträgt. Die Interpretation von *Dämmrung senkte sich von oben* zeigte ein Beispiel, in dem die Gegenwelt mit Klang, Rhythmus und Wortwahl einstimmig hergestellt wurde. Einstimmigkeit ist aber nur der Normalfall, von dem Abweichungen möglich sind. Die magische Beschwörung der Sprache wird normalerweise auf Einstimmigkeit hinauslaufen, jedenfalls das Gedicht so zusammensetzen, daß es ein Ganzes ergibt. Es käme hierbei auf eine Abstimmung zwischen der Komposition der sprachlichen Elemente und der Intention an, für die es ein allgemeingültiges Rezept nicht geben kann.

Wohl aber läßt sich ein Kriterium aus der Grundstruktur des lyrischen Ich gewinnen. Die magische Funktion der Sprache stellt die Identifikation her, und sie geschieht in und an der Gegenwelt, die ja die Gelegenheit für die Sprache liefert. Die Feststellung dieser Grundstruktur beruht auf dem Charakter der Sprache als Verständigung. An jedem sprachlichen Kunstwerk ist der Leser beteiligt, auch wenn er durch Predigt, Schockierung oder epische Fiktionalisierung (etwa in der Ballade) in eine passivere Haltung verwiesen wird. Die Identifikation des Lesers und des Autors (des Autors des jeweiligen Gedichtes und nur dieses Gedichtes) ist ein besonders aktiver Fall der Teilnahme des Lesers am Sprachkunstwerk. Dieses Verhältnis ist evident, es ist nur teilweise und zeitweise überdeckt durch ästhetische Lehren von der Subjektivität der Lyrik und dem Sich-Aussprechen des Individuums. Behauptet ein Dichter, nicht für Leser zu schreiben, so meint er seine Vorstellung eines schlechten Lesers. Formuliert er sein Gedicht mit den Wörtern seiner Sprache, kann er nicht vermeiden, für Leser zu schreiben. Er selbst ist nach der Beendigung des Gedichtes nicht mehr der Autor dieses Gedichtes, sondern wird mit jeder Minute ein anderer. Liest er sein eigenes Gedicht mit Zustimmung, so identifiziert er sich ebenso wie jeder andere Leser. Findet er Änderungen nötig, wird er erneut zum Autor. Der Leser ändert nicht, das ist nicht üblich, aber er verwirft das Gedicht oder nimmt es an. Nimmt er es an, dann kann er sich identifizieren. Was auch sollte er sonst tun? Es wird ihm nicht der Raum einer fiktiven Welt aufgeschlossen, in dem er eine Weile leben könnte, er lernt nichts Neues, er wird eingeladen, sich in der Sprache des Gedichtes zu schwingen. Dies setzt die Möglichkeit der Verständigung voraus. Und damit ist ein ganz einfaches Kriterium der Wertung erreicht: private Chiffren und Verschlüsselungen machen das Zustandekommen des lyrischen Ich unmöglich. Mit anderen Worten: ist die Verrätselung eines Gedichtes undurchdringlich oder nur durch ein kompliziertes Entschlüsselungssystem zu durchbrechen, so ist dies ein negatives Wertungskriterium.

Kommentare, Interpretationen können den Bereich des Verständnisses erweitern und verhindern, daß die lyrische Sprache gezwungen wäre, sich auf alltäglichen Bahnen zu bewegen. Dieser Dienst der Interpreten ist bis zu einem gewissen Grade legitim. Es läßt sich aber nicht leugnen, daß gerade die Vorliebe der Interpreten für schwierige und »unverständliche« Gedichte die Mode der Verrätselung begünstigt hat. Viele Gedichte Hölderlins und Trakls sind durch Interpretationen aufschließbar. Aber solche Aufschließung begünstigt auch die Eitelkeit des Interpreten, der seine Unentbehrlichkeit bei dieser Gelegenheit zeigen kann. Mir erscheint die Leichtigkeit bedenklich, mit der die meisten Interpreten über die ausreichend bekannten Tatsachen der schizophrenen Erkrankungen Hölderlins und Trakls hinweggehen. Schizophrenie verengt das Verhältnis des Erkrankten zu seiner Umwelt. Diese Veränderung müßte bei der Frage, wie ein lyrisches Ich zustande kommen kann, eine Rolle spielen. Das schließt nicht aus, daß der Dichter die gefühlte Bedrohung oder Entzückung auf eine Situation anwendet, die verstanden werden kann, und wenn er über eine Sprachbegabung verfügt wie Hölderlin und Trakl, so kann gültige Dichtung zustande kommen. Gerade in den letzten Gedichten Trakls spricht ein vom Wahnsinn bedrohtes Ich an der Grenze der Sprache aus, was anders nicht ausgesprochen werden kann. Trakls Sprache war dafür eingeübt. Andererseits muß nicht jedes Gedicht, jedes Wort Trakls die gleiche Gültigkeit haben. Niemand wird leugnen, daß die deutsche Sprache an vielen Stellen der Gedichte Hölderlins hohen Glanz gewinnt. Andererseits ist die Eigenheit von Hölderlins mythischer Welt nicht unbedingt und durchaus eine Stärke. Dies zuzugeben wird dem fleißigen Interpreten naturgemäß schwerfallen.

Die bloß verehrende Bewunderung des Dichterwortes, die Annahme des Diktums von Friedrich Schlegel, daß »die Willkür des Dichters kein Gesetz über sich leide«, das uralte Bedürfnis nach einer poetischen Sondersprache, die der Magie leichter entgegenkommt, die Ästhetik des subjektiven Sich-Aussprechens, das Fortwirken romantischer Antriebe in den Gedichten der französischen Symbolisten, die stark nach Deutschland hinüberwirkten, das traditionelle Bedürfnis, den Bürger zu schockieren, schließlich das anerkannte und viel interpretierte Vorbild Hölderlins und Trakls, all dies wirkt zusammen, um das verrätselte

Gedicht derart zur allgemeinen Mode zu machen, wie wir es für die Gegenwart verzeichnen können.

In den vorangegangenen Kapiteln haben einige Interpretationen auf das Spiel mit einer Grenze hingewiesen: der Grenze eines traditionellen Verstehens, der rhythmischen Gestalt, der Grenzsituation bei Trakl, der es gemäß war, daß die Bilder hinwegglitten und nur die klagende Stimme übrig blieb. Aber an einer Grenze sieht man beide Länder. Wer aus dem Verstehbaren in das Kaum-Noch-Vorstellbare vordringt, erobert einen neuen Reiz, weil er zurückkehren kann. Schließt sich das Gedicht vor dem Leser zu, so ist die Grenze zu weit überschritten. Die Struktur des lyrischen Ich ist dann nur noch annäherungsweise erfüllbar. Einige Klänge, ein Sprachrhythmus (wenn es sich nicht um in Zeilen abgesetzte Prosa handelt), die Kombination einiger Wörter können manchmal den Leser zur Identifikation bringen. Man kann sich auch halbverstande Gedichte zu eigen machen. Aber es gibt da eine Grenze, an die der Kritiker erinnern darf.

Das Ausgeschlossensein des Lesers kann und muß an der Gegenwelt des Gedichtes evident werden. Der Interpret muß also imstande sein zu zeigen, warum Klänge, Rhythmen und Wortbedeutungen sich nicht zusammenschließen. Der erste Eindruck kann trügen, und die genauere Untersuchung kann dennoch das Gedicht erschließen. Ich merke das hier an, weil es mir mit Ingeborg Bachmanns *Im Gewitter der Rosen* so gegangen ist. Auch könnte aus meinen Bemerkungen der Schluß gezogen werden, es genüge im Falle eines unverstandenen Gedichtes zu sagen: ich verstehe es nicht, ein lyrisches Ich stellt sich nicht her. Dieses negative Kriterium dürfte nur nach gründlicher Prüfung angewendet werden. Für diese Prüfung ist zwar in erster Linie der Text des Gedichtes, der ja die Gegenwelt beschwören soll, in gewissem Umfang aber auch das übrige Werk des Dichters heranzuziehen. Denn Eigenheiten des Ausdrucks kann man nicht unterbinden, Anpassung an die alltägliche Sprache des Lesers nicht verlangen, auch wenn man die Eigenheit des Ausdrucks um der Eigenheit willen auf Kosten der Verständigungsmöglichkeit bedenklich findet. Erwarten darf man einen Zugang zu der lyrisch-fiktiven Welt, eine faszinierende Einladung, die Sprache des Gedichtes zu sprechen, um einen Moment zu beschwören, um im Augenblick des Aufblitzens der Gegenwelt etwas zu erfahren, das sich außerhalb lyrischer Sprache nicht sagen ließe.

ANMERKUNGEN

Abkürzungen:

DVLG   Deutsche Vierteljahrsschrift für Literaturwissenschaft und Geistes-
geschichte
GRM   Germanisch-Romanische Monatsschrift
PMLA   Publications of the Modern Language Association of America

1 Die Struktur-Linguisten wenden zwar mit einem gewissen Recht ein, das Wort als Einheit sei nicht eindeutig genug bestimmbar. Da Dichtung auch Kommunikation mit dem Leser ist und nur das Wort als Einheit im allgemeinen Bewußtsein vorhanden und durch die Schrift darin immer wieder bestätigt wird, können wir nur vom Wort ausgehen. Mindestens ein Linguist erkennt diese Schlüsselstellung des Wortes an: Dwight L. Bolinger, »The Uniqueness of the Word«, *Lingua*, XII (1963), 113–136. Diesen Hinweis danke ich Pardee Lowe.

2 Die Begriffe Bild, Metapher, Symbol sind Gegenstand einer lebhaften Diskussion, die sich zu einem Spezialstudium auszuwachsen im Begriffe ist. Den Begriff »Symbol«, als den meistbelasteten, vermeide ich. Er scheint mir allzusehr verknüpft zu sein mit platonischen, neuplatonischen oder idealistischen Philosophien, die zwar unter sich verschieden sind, aber allzuleicht zu der Denkweise der Gnostik verführen, daß nämlich nur Eingeweihten der Zugang zur Wahrheit offenstünde, ein Zugang, der nachvollzogen, aber nicht nachgeprüft werden darf. In diese Gefahr geraten alle Versuche, den Symbolbegriff zu benutzen, um zu einer Deutung des Daseins zu gelangen, also Dichtung als Ersatzreligion zu mißbrauchen. Auch Wilhelm Emrich, an Hegel orientiert, mutet dem Symbol Goethes zu, »die innersten Antinomien des Daseins selbst bis in ihre letzten Wurzeln durchsichtig zu machen« (»Symbolinterpretation und Mythenforschung«, *Euphorion*, XLVII (1953), S. 59. Auch in W. E., *Protest und Verheißung*, Bonn, 1960, S. 87). Die Orientierung an der Tiefenpsychologie ist weit verbreitet. Schon Hermann Pongs' umfangreiches Werk *Das Bild in der Dichtung* (2 Bde, 2. Aufl., Marburg, 1960, 1963) ist bestimmt durch seine Voraussetzung, daß das dichterische Bild ein Ins-Bild-Bringen des Urbilds sei, das »aus dem Unbewußten der Seele« stamme und sich dann »mit einer wachsenden Bewußtheit« durchdringe (I, 21). So kommt es, daß Pongs' Interpretationen die Wörter »fühlen« und »Gefühl« oft so brauchen, als sei von Sprache gar nicht mehr die Rede.
Sei es nun seelisches Urbild, Archetypus oder neuer Mythos, sei es Deutung des Daseins oder Erkenntnis von Antinomien, der Dichtersprache wird zugemutet, Orientierungen zu geben, die auch für den Leser in seiner alltäglichen Welt gelten sollen. Eben das, glaube ich, ist eine falsche Erwartung. Dichtung ist Spiel mit der Sprache und Kommunikation mit dem Leser. Aus beidem ergibt sich die Struktur. Struktur ist die Sonderorientierung des sprachlichen Kunstwerks, die sich schon durch einen sinnvollen Anfang und ein sinnvolles Ende (immer nur auf die Dichtung selbst bezogen) von dem nach allen Seiten offenen alltäglichen Leben des Lesers unterscheidet. Die

Trennung der fiktiven von der alltäglichen Ebene ist Grundvoraussetzung des Verständnisses der Dichtung.

Ich spreche nicht von Wirklichkeit, weil dieser Begriff den Anspruch macht, einen eigentlichen Bereich gegenüber bloßen Perspektiven zu eröffnen. Diesen Bereich gibt es aber nicht. Die Suche nach der Substanz in Philosophie und Naturwissenschaft hat gezeigt, daß sie nur ein Begriff war, eine Orientierung.

Statt Symbol benutze ich, wo es sich um einen sprachlichen Ausdruck handelt, der an die Erfahrungswelt des Lesers appelliert, das Wort »Zeichen«. Das Wort »Bild« soll, schlicht verstanden, auf solche Zeichen angewendet werden, die eine Potenz zur Verselbständigung haben, sich also aus der Alltagswelt des Lesers entfernen. Dabei ist zu beachten, daß schon das Zeichen nicht Teil der Alltagswelt des Lesers, sondern nur Verweis war, also dieser Alltagswelt nicht angehört. »Metapher« wird im traditionellen Sinne als übertragener Ausdruck gebraucht. Sie ist gegenüber dem Zeichen und dem Bild von flüchtigerer Natur. Zeichen, Bild und Metapher sind also nur graduell, nicht prinzipiell unterschieden, weil sie in ähnlicher Weise zu dem Bereich der Kommunikation des Dichters mit dem Leser gehören.

Vgl. auch Walther Killy, *Wandlungen des lyrischen Bildes*, Göttingen, 1956. Killy kommt nicht immer ohne die Kategorie der (absolut gefaßten) Wirklichkeit aus. Auch gewinnt die von ihm dargestellte Wandlung des lyrischen Bildes allzusehr geschichtliche Notwendigkeit, verliert also an spielerischem Charakter. Der Protest der Expressionisten gegen verbrauchte Bilder hat aber auch ein übermütig spielerisches Motiv. Killy weiß vom Spielcharakter der Lyrik. Aber seine Blickrichtung gibt die Sicht auf die hier zu betrachtenden strukturellen Momente nicht immer frei. Der expressionistische Dichter orientiert sich an den Konventionen des bürgerlichen Publikums, das schockiert werden soll und will. Daß das Schockbedürfnis von Autor und Leser geteilt wird, ist der schlüssigste Beweis gegen die Auffassung von einem Verhängnis, das dem Dichter die bildliche Wirklichkeit entzieht. Es ist zwar ein Spiel mit Verhängnissen möglich, aber das Spiel selber kann kein ernstes Verhängnis anzeigen, eher davon befreien. Erinnert sei an Georg Heyms Ruhmbedürfnis, das er auch und gerade mit schockierenden Gedichten zu befriedigen gedachte. Diese Überlegungen zwängen zur Skepsis gegenüber dem Begriff der »Wirklichkeit« als absoluter Größe in der Interpretation von Dichtung, selbst wenn es absolute Wirklichkeit gäbe. Auch kann man bei Trakls Äußerungen über die Wirklichkeit nicht von dem Geisteszustand des Dichters absehen (S. 126). Killys kleines Buch enthält dennoch eine Fülle von sensitiven und sehr wertvollen Betrachtungen.

3 Vgl. Hugo Friedrich, *Die Struktur der modernen Lyrik*, Hamburg, 1956 (Rowohlts Deutsche Enzyklopädie), besonders S. 13—16, und die weitere Diskussion: Heinz Otto Burger, »Von der Struktureinheit klassischer und moderner deutscher Lyrik« in *Festschrift für Franz Rolf Schröder*, hrsg. von Wolf Dietrich Rasch, Heidelberg, 1959, S. 229—240. Auch in H. O. Burger und Reinhold Grimm, *Evokation und Montage*, Göttingen, 1961 = Schriften zur Literatur 1, S. 7—27. Für Friedrich und zum Teil gegen Burger schreibt Hans Robert Jauss »Zur Frage der ›Struktureinheit‹ älterer und moderner Lyrik«, *GRM*, XLI = NF X (1960), 231—266. Jauss weist mit

Recht darauf hin, daß das moderne Gedicht seine Wahrheit in sich selber habe und diese eigene Wahrheit über eine Verfremdung erreiche. Ob es aber richtig ist, daß das klassische Gedicht demgegenüber in allen Fällen auf eine »höhere Welt des Wahren, Guten, Schönen« (S. 264) verweise, scheint mir nicht so sicher. Die Deutung des Symbols als eines Verweises auf eine höhere Welt ist eine Norm der Ästhetik, deren Herkunft man wohl in platonischen, neuplatonischen und mittelalterlich-realistischen Bereichen suchen muß. Diese Norm muß nicht immer als erfüllt gedacht werden. Die Goethezeit konnte in ihrer poetischen Praxis oft moderner sein als in ihrer Theorie. Überdies läßt selbst Schillers Ästhetik teilweise eine Interpretation in Richtung der Moderne zu. Jauss findet mit Recht ein Gemeinsames im modernen und vormodernen Gedicht. Die Erwartung des Lesers richtet sich auf die Erscheinung dessen, das anders ist als unsere Alltagswelt. Dies scheint mir entscheidender. Wenn ein Moment innerhalb eines Gedichtes beschworen wird, dann ist dies eine Verfremdung gegenüber unserer Alltagswelt, mag diese Verfremdung auch mit Hilfe einer Konvention zugänglich sein. Spätere historische Betrachtung dürfte in unsererer modernen Dichtung wohl noch mehr Konvention finden, als wir zu sehen vermögen. Die Mittel der Verfremdung: Provokation und Verrätselung sind konventionell geworden. Dazu vgl. Karl Otto Conrady, »Moderne Lyrik und die Tradition«, GRM, XLI (1960), 287 bis 304. — Auf Burger bezieht sich auch Edgar Lohner in den einleitenden Kapiteln zu: *Passion und Intellekt: Die Lyrik Gottfried Benns*, Neuwied, 1961. Als Kennzeichen des modernen Gedichtes bezeichnet er »die Tatsache, daß die Zusammenhänge unserer sinnlichen Wirklichkeit, wie wir sie bisher zu sehen gewohnt waren, zerstört sind. Die Zerstörung der empirischen und ideellen Ordnungen, wie sie sich etwa bis zur Romantik noch im Gedicht spiegeln, und, als deren Resultat, die Herstellung autonomer, von der Wirklichkeit unabhängiger Bezugssysteme ist ein wesentliches Merkmal ...« (S. 25). Auf die Unmöglichkeit und Unangemessenheit eines absoluten Wirklichkeitsbegriffs bin ich schon in der vorigen Anm. zu sprechen gekommen. In dem eben angeführten Zitat ist die Gefahr spürbar, daß »Wirklichkeit« in unklarer Weise mit ihrer traditionellen sprachlichen Interpretation, den »empirischen und ideellen Ordnungen« verknüpft wird. Der Begriff Wirklichkeit kann nur als Relation auf eine andere Größe, z. B. Fiktion oder »lyrische Welt« oder auch »Zeit-Raum-Kontinuum«, angewendet werden und erhält seine Bedeutung nur aus der Relation. Vielleicht kann das ganze Problem der negativen Kategorien, also das Verhältnis moderner zu traditioneller Ästhetik aus dieser Sicht gelöst werden, eine allerdings sehr schwierige Aufgabe. Einfacher ist es, das Problem zu ignorieren, das heißt klassische und moderne Gedichte primär aus den Beziehungen ihrer sprachlichen Elemente untereinander zu erklären. Dieser Versuch, den ich hier vorführe, könnte auch ohne explizierte Ästhetik weiterführen.

4   Text nach Wolfgang Preisendanz, »Goethes ›Chinesisch-Deutsche Jahresund Tageszeiten‹«, *Jahrbuch der deutschen Schillergesellschaft*, VIII (1964), 138 f. Die Abweichung von der üblichen Lesung in Zeile 9 (Vers 1 der zweiten Strophe), »im« statt üblicherweise »am« auf Grund des Erstdrucks nach den Lesarten der Weimarer Ausgabe. Siehe Preisendanz, Anm. 31 auf S. 150.

5 Preisendanz, S. 138. Das Chinesische hält Preisendanz überhaupt für eine lose aufgesetzte Maske, hinter der ein Rückblick auf das Ulrike-Erlebnis halb verborgen wird. — Erich Trunz in Hamburger Ausgabe I (2. Aufl. 1952), S. 589, E. Staiger, *Goethe*, III (Zürich, 1959), 229 f.

6 Ich entscheide mich der leichteren Verständlichkeit halber für die konventionelle Beschreibungsweise, das heißt für die auf den deutschen Vers angewandten und für ihn abgewandelten klassischen Begriffe. Metrum und Rhythmus stehen in einer Korrelation; als Rhythmus werden die Variationen verstanden, die ein regelmäßiges Metrum umspielen, in Anlehnung an Wolfgang Kaysers *Kleine deutsche Versschule*, Bern, 1946 (und Neuaufl.).

7 Ich möchte für alle Fälle klarstellen, daß lange und kurze Vokale im Deutschen nicht nur quantitativ, sondern auch qualitativ verschieden sind, freilich in verschiedenen Graden, am meisten ä, am wenigsten u.

8 Polarität findet auch Preisendanz in unserem Gedicht und verweist deshalb auf die *Farbenlehre*. *Jahrbuch der dt. Schillergesellschaft*, VIII, 140.

9 Vgl. Emil Staiger, *Goethe* III (1959), 230. — Übrigens erscheint in Goethes Werk »Luna« mehrfach in der Klassischen Walpurgisnacht (Hamburger Ausgabe III [1949], 229, 245, 251, 254, Vers 7513, 8079, 8288, 8391), wo das Wort natürlich niemanden stört. Aber auch hier sollte man Luna nicht einfach als antikisierenden Namen, sondern als mythische Erscheinung nehmen. Dazu kommt die weibliche Form. — Übrigens arbeitete Goethe 1827, als die *Chinesisch-deutschen Jahres- und Tageszeiten* entstanden, auch am *Faust*.

10 Ersetzt man »nun« durch »jetzt«, ist metrische Drückung zwar immer noch möglich, aber weniger leicht und selbstverständlich. Dehnt man dieses Experiment so aus, daß man die vorhergehende Zeile (Vers 8) mitliest, so spürt man deutlich, wie die Vokalbindung von »ruht« und »nun« fehlt, hat man sie sich einmal bewußt gemacht.

11 Daß der Divan mit dieser Bezeichnung nicht erschöpfend charakterisiert ist, muß hier hingenommen werden. Zweifellos ist das erotische Thema im Divan von größter Bedeutung. Auf das gleiche Thema in den *Chinesisch-deutschen Jahres- und Tageszeiten* hat Preisendanz besonders hingewiesen. Er will es, wohl mit Recht, auf Ulrike beziehen. Die Gedichte V, VI und VII, die auf unser VIII hinführen, zeigen das erotische Motiv ganz deutlich. Die Beziehung des Zyklus-Titels auf den Divan-Titel ist oft bemerkt worden.

12 Vgl. die Umarbeitung von *Jägers Nachtlied*. In der früheren Fassung (1775) heißt es: »Mir ist es, denk ich nur an dich, / Als säh' den Mond ich an...« In der Umarbeitung für die Ausgabe von 1789 erhält der letztere Vers die Fassung: »Als in den Mond zu sehen«. »Mond« hat den Hauptton in beiden Fassungen, die spätere ermöglicht aber eine stärkere metrische Drückung der ersten Hebung mit der gleichen Wirkung wie in unserem Gedicht: der einer überraschenden Erscheinung, einer mythischen Revelation, was durch die Schlußzeilen bestätigt wird: »Ein stiller Friede kommt auf mich / Weiß nicht, wie mir geschehn.«

13 Siehe die vorige Anm. Hamburger Ausgabe I (1952), 121 f. — Vgl. wie schon im Urfaust das Mondmotiv die Sehnsucht nach Existenzerneuerung begleitet in Vers 33—44 (Hbg. A. III [1949], 367 f.); die Stelle wurde auch in die endgültige Fassung übernommen. — Im Frühwerk Goethes weckt der Mondschein manchmal die Gedanken an die Verstorbenen, offenbar unter Ossian-Einfluß, z. B. Hbg. A. VI, 57, 109 (Werther) und IV, 341 (Stella). Dies ist eine Sonderform des magischen Motivs, die bald wieder aus Goethes Werk verschwindet, aber vielleicht im Hintergrund des Verwandlungsmotivs verbleibt. Übrigens ist das magische Motiv des Mondes mit einem Reinheitsmotiv verknüpft. So verbirgt sich der Mond bei der verzweifelten Beschwörung des Erdgeistes und in der nördlichen Walpurgisnacht, während er in der klassischen eine so große Rolle spielt: *Faust*, Verse 469, 3991, 7031, 7513, in der berühmten Szenenanweisung von »Felsbuchten des ägäischen Meeres«: »Mond im Zenith verharrend« (Hbg. A. III, 244) und in der Deutung des Mondhofes als Tauben der Aphrodite auf dem Höhepunkt der klassischen Walpurgisnacht, Verse 8339—8354.

14 Hbg. A. III, 146 f.

15 Hbg. A. VIII (1950), 213.

16 Unter »integrativ« verstehe ich die Eigenschaft einer integrierenden Wirkung auf das Ganze des Gedichtes.

17 Vgl. Karl Viëtor, »Goethes Altersgedichte«, in *Geist und Form*, Bern, 1952, S. 161: »Unaufdringlich ist der schauende Mensch als das Wesen gegenwärtig, das dies Naturschauspiel auf sich bezieht und dem es etwas bedeutet nur durch das, was aus der Seele heraus auf die Eindrücke schöpferisch antwortet.«

18 Gottfried Benn, *Probleme der Lyrik* in: *Gesammelte Werke*, hrsg. von Wellershoff, I (Wiesbaden, 1962), 504.

19 Natürlich ist nicht jedes Gedicht so durchkomponiert wie dieses, insbesondere haben die Vokalklänge zwar meist integrierende Funktion, aber lockere Beziehungen zur Semantik. — Wer aber an der Möglichkeit so bewußter Komposition zweifelt, sei auf den Aufsatz Wladimir Majakowskijs verwiesen: »Wie macht man Verse« (übers. von Siegfried Behring, Berlin, 1960. Auszug in Walter Höllerer, *Theorie der modernen Lyrik: Dokumente zur Poetik* I [1965], 290—319 [Rowohlts Deutsche Enzyklopädie]).

20 Diesen Nebenton beschreibt Gerhard Storz als Hebung und kommt darum zu sehr unregelmäßigen Versen in: *Wege zum Gedicht*, hrsg. von R. Hirschenauer und Albrecht Weber, München, 1956, S. 127—129.

21 Sie sind übrigens erst in der späteren Fassung eingesetzt, während die ältere Tagebuchfassung das Bild einer Nabelschnur herausstellt, die den Dichter an die Welt, die herrliche Natur bindet:

> Ich saug' an meiner Nabelschnur
> Nun Nahrung aus der Welt.
> Und herrlich rings ist die Natur,
> Die mich am Busen hält.

Man kann schließen, daß die endgültige Fassung eine bewußte Interpretation ist, die herausbringen soll, wie die freiwillige Bindung an die Natur als Selbstbefreiung empfunden wird.

22 Auch hier ist zu bemerken, daß dieses Verhältnis erst in der zweiten Fassung hergestellt wurde.

23 Klopstocks Nachbildung des sogenannten Pherekratus der asklepiadischen Odenstrophe. — Die erste Fassung von *Auf dem See* (siehe Anm. 21) entstand im Tagebuch der Schweizerreise 1775. Gemeint ist der Zürichsee. Goethe besuchte Bodmer in demselben Hause, in dem Klopstock gewohnt hatte. — Die Unterschiede zwischen den Gedichten wurden allerdings mit Recht betont durch Oskar Walzel in: *Gehalt und Gestalt im Kunstwerk des Dichters,* Berlin, 1923 (Handbuch der Literaturwissenschaft), S. 55 (vgl. auch S. 238 und 273) und Emil Staiger, *Die Kunst der Interpretation,* Zürich, 1955, S. 65.

24 Vgl. Werner Kohlschmidt, »Rilkes Grabschrift« in W. K., *Rilke Interpretationen,* Lahr, 1948, S. 79—94. — Weitere Literatur in den Anmerkungen zu dem Aufsatz von Gisela Günther, »Rilkes Grabspruch: Versuch einer Deutung«, *Monatshefte* (Madison, Wisc.), LVI (1964), 75—87. Der Aufsatz selbst ist ein Beispiel für eine Reihe von Mißverständnissen, die Interpretationen lyrischer Gedichte erschweren. Die Rose ist für die Verfasserin ein Symbol der Dichtung. Symbolübersetzung ist ebensowenig Interpretation wie das Suchen nach einer Metaphysik, nach einem »Glauben des Dichters«, ohnehin zwei verschiedene Dinge.

25 Goethe in der bekannten Stelle aus dem venezianischen Teil der *Italienischen Reise:* »Was ist doch ein Lebendiges für ein köstliches, herrliches Ding! Wie abgemessen zu seinem Zustande, wie wahr, wie seiend!« Hbg. A. XI, 93.

26 Ähnlich Bernhard Blume, siehe Anm. 29 (Ende). — Der Begriff wurde zuerst beschrieben in dem oft zitierten Aufsatz von Kurt Oppert, »Das Dinggedicht: Eine Kunstform bei Mörike, Meyer und Rilke«, *DVLG,* IV (1926), 747—783. Von diesem Aufsatz geht auch Fritz Martini aus in seinem Artikel in der zweiten Aufl. des *Reallexikons der deutschen Literaturgeschichte.* Oppert bezieht den Begriff auf eine Form, die zuerst in Mörikes *Auf eine Lampe,* dann in Meyers *Römischem Brunnen* (und zwar im wesentlichen nur in diesen Gedichten) greifbar wird, nur andeutungsweise in antiken, barocken und Vorläufern aus der Aufklärung (Brockes), seien es Epigramme oder beschreibende Gedichte. Anklänge an die Form gibt es auch bei Platen und Hebbel. Die hauptsächlichen Beispiele findet Oppert in Rilkes *Neuen Gedichten.* Martini weist auf die umbildende Fortsetzung dieser Formtendenz in der modernen deutschen Lyrik hin. Opperts Aufsatz ist freilich auch deshalb lehrreich, weil er auf weite Strecken die älteren und unzureichenden Methoden demonstriert, mit denen vor einem Menschenalter Lyrik verstanden wurde. Goethes *Auf dem See* erscheint ihm zweimal als ausgesprochener Gegensatz zu der Form des Dinggedichtes. *Auf dem See* sei (nach Walzel) ein »werdendes« Gedicht, es sei subjektiv, »bedrückende und erregende Zustände werden heruntergebeichtet, und diese Abreaktion als wachsendes seeliches Ereignis bildet den Wesenskern des lyrischen Kunst-

werks solcher Art ...« (S. 747). Das Dinggedicht demgegenüber sei »episch-objektive Beschreibung eines Seienden« (S. 748). Später führt er an, in der Form implizierte oder daraus hervorbrechende Deutung sei wesentlich für das Dinggedicht. Beschreibung und Deutung seien »die beiden konstituieren-den Elemente des Dinggedichtes«. Hier bewegt sich Oppert also auf unseren Strukturbegriff zu, aber nicht sehr weit. In Mörikes *Auf eine Lampe* breche am Schluß in der Deutung das Gefühl durch. Eine Art dialektischer Zwang führt Oppert dazu, hier wieder *Auf dem See* als Gegensatz zu sehen. Durch ein plastisches Schlußbild werde »das Fließen« (des Gefühls) gehemmt. Beide Gegenüberstellungen zusammengesehen hätten ihn daran hindern müssen, das Dinggedicht als »genauen Gegentypus« (S. 747) zu Goethes Gedicht zu bezeichnen. Merkwürdig auch das halbe Verstehen von Rilkes *Die Flamingos* als Ironie (S. 779). Oppert versteht das Dinggedicht als ausgesprochen moderne, nämlich unnaive Erscheinung, sicher mit Recht, mag auch dieser Schluß von einer überholten naiven Auffassung Goethes herrühren (vgl. S. 782: das »Volkslied und Goethe, die jedes Herz versteht«, während wir in Dichtungen wie denen von Rilke »alles jugendfrisch und jauchzend unmittelbar gelebte Leben entbehren müssen«.). – Die Kategorien »subjek-tiv« und »objektiv« dienen auch Werner von Nordheim zur Orientierung: »Die Dingdichtung Eduard Mörikes«, *Euphorion*, L (1956), 71–85. Er sieht Mörikes Dingdichtung psychologisch aus Unsicherheit entstehen, wobei er freilich meines Erachtens unnötig weit in die Psychologie hineingeht, so rich-tig die Beobachtung an sich ist. Vgl. auch Walther Rehm, »Wirklichkeits-demut und Dingmystik«, *Logos*, XIX (1930), 297–358. Rehm betrachtet die künstlerische Haltung der Demut vor den Dingen als psychologisches, philosophisches und weltanschauliches Phänomen von Dürer bis Rilke.

27 Vgl. auch das Sonett XV aus dem zweiten Teil der *Sonette an Orpheus:* »O Brunnen-Mund, du gebender ...«, in dem das Brunnengefäß »ein Ohr der Erde« genannt wird. »Nur mit sich allein / redet sie also. Schiebt ein Krug sich ein, / so scheint es ihr, daß du sie unterbrichst«. Rilke, *Sämtliche Werke*, Frankfurt, 1955 ff., I, 760 f.

28 Das Gedicht *Auf eine Lampe* ist bekanntlich in den letzten Jahren viel interpretiert worden. Emil Staiger, »Die Kunst der Interpretation« in der gleichnamigen Aufsatzsammlung, Zürich, 1955, S. 9–49 einschließlich des Briefwechsels mit Martin Heidegger. Leo Spitzer, »Wiederum Mörikes Gedicht ›Auf eine Lampe‹«, *Trivium*, IX, 133–147 (im gleichen Band auch der Erstdruck des Heidegger-Staiger-Briefwechsels). Romano Guardini, *Gegenwart und Geheimnis*, Würzburg, 1957, S. 25–33. Sigurd Burckhardt, »Kinder Spiel: Noch einmal Mörikes ›Auf eine Lampe‹«, *Wirkendes Wort*, VIII (1958), 277–280. Zu der Diskussion auch: Herman Meyer in der Besprechung von Staigers *Kunst der Interpretation*, in *Euphorion*, LI (1957), 103 f. Dieses ungewöhnliche Interesse für ein Gedicht ist zwar zum Teil durch das Niveau der ursprünglichen Diskussion erklärbar. Das Dinggedicht und besonders die letzte Zeile des Mörikegedichtes scheint aber auch einer beson-deren Neigung des heutigen Lesers entgegenzukommen, weil es einerseits einer für modern angesehenen Forderung entspricht, es ist »absolut«, ver-weist also nicht auf eine eindeutige, festgelegte Welt (das sucht Staiger mit der Kategorie des »Spätlings« zu erfassen), andererseits ist es glücklicher-weise leicht zugänglich, in unserer Sprache: die Identifikation mit dem

Sprecher gelingt dem Leser, das lyrische Ich stellt sich her. Es ist auch nicht simpel, sondern mehrdeutig im Wortgebrauch, worauf alle Interpreten aufmerksam machen. Dieses Zusammenspiel von Unsicherheit und Zugänglichkeit macht seinen Reiz aus.

29 Die Interpretation sowohl aus dem Blickwinkel »des Erlebnisses« als auch der Gestalt bietet sich im Falle dieses Gedichtes geradezu an. 1932 hatte Barker Fairley (Goethe, London, 1932, S. 166—168) auf Gestaltcharakteristika hingewiesen, er hatte die drei Strophen als Ausdruck dreier Stufen eines Wandels der Anschauung (»change of sensibility«, S. 166) gesehen und auf die Nähe zum Malerischen hingewiesen. Auf ihn bezog sich Walter Silz (»Goethe's ›Auf dem See‹« in: Studies in Honor of John Albrecht Walz, Lancaster, Pennsylvania, 1941, S. 41—48). Auch er beschreibt die Gestalt, aber er findet, daß gerade der Rhythmus den Charakter des Gedichtes als Erlebnisgedicht bestätige. — Ohne jeden Hinweis auf die Biographie betrachtet Johannes Pfeiffer die Gestalt des Gedichtes, die »von vager Gesamtfühlung zu immer bestimmterer Anschaulichkeit führe« (in: J. P. Wege zur Dichtung, Hamburg 1960 [1. Aufl. 1951], S. 56-58). Dagegen hält Julius Wiegand in einem Buch, das Gestaltinterpretation in den Vordergrund stellt (Zur lyrischen Kunst Walthers, Klopstocks und Goethes, Tübingen, 1956, S. 86 f.), die dritte Strophe für eine Rückkehr in den Zustand der ersten (ähnlich Storz, siehe Anm. 20), meines Erachtens zu Unrecht. Auch er zieht die Biographie heran. Emil Staiger sieht in Grundbegriffe der Poetik sogar die Einheit des Gedichtes im Biographischen (5. Aufl. Zürich, 1961, S. 26 f.). Beiden, dem biographischen und dem Gestaltaspekt sucht Michael Scherer gerecht zu werden (»Goethe ›Auf dem See‹«, Wirkendes Wort, IV [1954] 349—354). Der an sich sehr beachtlichen Interpretation kann ich nicht überall folgen. Warum soll »Die Welle wieget unsern Kahn / Im Rudertakt hinauf« steigender Rhythmus sein, »Aug', mein Aug', was sinkst du nieder« fallender? »Auf der Welle blinken« steigender, »Tausend schwebende Sterne« fallender? Mir scheint, daß die Anweisung hier entweder von der Semantik (in den beiden ersten Beispielen) oder vom Vokalklang hergenommen wird. »Steigend« oder »fallend« ist metaphorische Sprache, sie wird in Gestaltbeschreibungen mit Unrecht so benutzt, als werde ein Faktum mitgeteilt. (Ähnlich Oskar Walzel »Die künstlerische Form des jungen Goethe und der deutschen Romantik« in O. W. Vom Geistesleben alter und neuer Zeit, 2. Aufl., Leipzig, 1922, S. 100 f.) Der Begriff Rhythmus ist überhaupt unsicher, die Analogie zur Musik gilt nur teilweise. Man muß sich wohl darauf beschränken, unter Rhythmus im Gedicht die Variationen zu verstehen, die das Metrum umspielen. Wir wissen nur darum von einem bestimmten Rhythmus, weil er dem Metrum von der Semantik aufgezwungen wird. Der musikalische Rhythmus umspielt den Takt. Semantik ist aber der Bereich des sprachlichen Kunstwerks, dem die Analogie zur Musik abgeht. — Auf die Beziehung zwischen Auf dem See und moderner Dichtung weist Heinz Otto Burger hin: »Von der Struktureinheit klassischer und moderner deutscher Lyrik«, vgl. oben Anm. 3. — Eine ähnliche Bedeutung wie in der vorliegenden Interpretation gibt Bernhard Blume der dritten Strophe. »Die Kahnfahrt: Ein Beitrag zur Motivgeschichte des 18. Jahrhunderts« Euphorion, LI (1957), 379—381. Auch dort wird die 3. Strophe mit dem späteren »Dinggedicht« in Zusammenhang gebracht.

30 Vgl. oben Anm. 21.

31 Thomas Mann, *Briefe 1948—1955 und Nachlese,* hrsg. von Erika Mann, Frankfurt, 1956, S. 152. — Mir ist unbekannt, woher Thomas Mann diese Nachricht hatte, möglicherweise von Max Brod, den er seit einer Prager Reise 1932 kannte und mit dem er während der Emigrationszeit mehrfach Kontakt hatte. Glaubhaft ist sie durchaus.

32 Helmut de Boor in: de Boor und Newald, *Geschichte der deutschen Literatur,* I (1949), 89—95. — Ludwig Wolff, »Die Merseburger Zaubersprüche« in: *Die Wissenschaft von deutscher Sprache und Dichtung* (Festschrift für Friedrich Maurer), hrsg. von Siegfried Gutenbrunner u. a., Stuttgart, 1963, 305—319.

33 Text nach W. Braune und K. Helm, *Althochdeutsches Lesebuch,* 10. Aufl. Halle, 1942, S. 80. — Text (und Übersetzung) auch leicht zugänglich in der Anthologie Echtermeyer—von Wiese, *Deutsche Gedichte.*

34 Max Ittenbach, *Der frühe deutsche Minnesang,* Halle, 1939, DVLG-Buchreihe, 24, S. 40—46. S. 40 unser Text, der der Handschrift enger folgt als Carl von Kraus' Ausgabe. — Das *Falkenlied* ist Gegenstand einer langandauernden Diskussion geblieben. Der Jahrgang LIII (1959) des *Euphorion* wird eröffnet von zwei Aufsätzen, die zwei voneinander geschiedene Positionen einnehmen. Peter Wapnewski vertritt eine Symbolinterpretation, die auf Hofmannsthals Symbolbegriff basiert ist, und stützt seine Ansicht durch die Falknerliteratur. Für ihn ist das Lied die Klage der verlassenen Frau, die (in der letzten Zeile) die Herrschaft über sich zurückgewinnt, indem sie ein Gebet für alle Liebenden formuliert, in der Entsagung erkennt, in der Erkenntnis entsagt. — A. T. Hatto hält im Anschluß an Ittenbach und Wesle die Gegnerschaft gegen die symbolische Deutung aufrecht und will den Falken als Liebesboten verstanden haben (Wesle, »Das Falkenlied des Kürenbergers«, *Zeitschrift für deutsche Philologie* LVII [1932], 209 ff.). Auch er versteht das Lied als Wechsel. Bei Wapnewski weitere Literaturhinweise. — Mit der Botentheorie kann ich mich nicht befreunden; Wapnewskis Deutung scheint mir zu sehr im Bannkreis der Goetheschen Lyrik zu stehen.

35 Ittenbach besteht darauf, es handele sich weder um eine Erzählung noch um ein Entfliegen des Falken. Ich nehme beides als eine leichte Übertreibung seines berechtigten Widerspruches gegen die sentimentale Auffassung.

36 Text nach: *Gesammelte Werke,* hrsg. von Dieter Wellershoff, III (Wiesbaden, 1963), 140.

37 Vgl. Eva M. Lüders, »Das lyrische Ich und das gezeichnete Ich: Zur späten Lyrik Gottfried Benns«, *Wirkendes Wort,* XV (1965), 361—385. Der Aufsatz geht nicht auf *Einsamer nie...* ein, er faßt das lyrische Ich ebenfalls als strukturellen Faktor auf, ohne daraus jedoch weitreichende Folgerungen zu ziehen. Widersprechen muß ich Eva Lüders' Ansicht von einem entscheidenden Bruch der Tradition im modernen Gedicht. Mir scheint, daß diese Ansicht zu sehr von Benns polemischen Bedürfnissen und von seiner Nietzsche-Nachfolge bedingt ist. Sie kann nicht einfach als Faktum hingestellt werden.

38   Das Gedicht wurde 1936 zuerst gedruckt, und hinter dem Wort »Sieg« könnte sich sehr wohl die Stimmung des größeren Teiles der Deutschen jener Zeit verbergen, die im völkischen Rausch sich »siegen« fühlten (im Gegensatz zu 1918), und von 1935 an jährlich »Siegsbeweise« geliefert bekamen. Benn hatte sich damals schon aus dem »Rausch« gelöst. 1936 wurde überdies das Jahr starker nationalsozialistischer Angriffe auf Benn (siehe Friedrich Wilhelm Wodtke, *Gottfried Benn*, Stuttgart 1962, Sammlung Metzler, S. 73). Das Gedicht war damals vielleicht schon geschrieben.

39   Zu Benns Abhängigkeit von Nietzsche vgl. Gerhard Loose, *Die Ästhetik Gottfried Benns*, Frankfurt a. M., 1961, dazu Reinhold Grimm, »Kritische Ergänzungen zur Benn-Literatur«, in: R. G., *Strukturen*, Göttingen, 1963, S. 273–359, bes. S. 295–305 und 307 f.

40   Vgl. 1. Korinther 7, 29–31. Freilich ist das Bekenntnis Benns zum Geist eher humanistisch. Aber eindeutig läßt sich seine Stellung zur paulinischen Tradition wohl nicht leicht festlegen. Überhaupt kann es kaum zufällig sein, daß die Wiederentdeckung Luthers und damit der paulinischen Theologie zeitlich zusammenfallen mit dem Perspektivismus in der Literatur nach Nietzsche; dieser Zusammenhang ist durch gegenseitige Bedingung zu erklären (Moralkritik), nicht durch direkten Einfluß. Nietzsche wußte von Luthers und Paulus' Theologie so gut wie nichts.

41   Als Bestandteil eines historischen Stranges, der von Baudelaire über Mallarmé und George zu Benn reiche und der durch Anti-Natur gekennzeichnet sei, sieht Hunter G. Hannum dieses Gedicht: »George and Benn: The Autumnal Vision«, *PMLA*, LXXVIII (1963), 271–279. Solche Linien finden wir häufig: Hugo Friedrich, *Die Struktur der modernen Lyrik* (vgl. oben Anm. 3) vgl. auch Werner Günther, »Über die absolute Poesie«, *DVLG*, XXIII (1949), 1–32, ein früherer Aufsatz, 1944 geschrieben, mit anderen Akzenten. Wiederabgedruckt in W. G. *Weltinnenraum*. 2. Aufl. Berlin 1952, 255–284. Diese historischen Herleitungen haben ihre Berechtigung, liefern aber, wie mir scheint, nur einen Aspekt der Sache, der andere ist die Kontinuität der Tradition, auf die T. S. Eliot in seinen kritischen Schriften so viel Wert legt. Vgl. auch Karl Otto Conrady, »Moderne Lyrik und die Tradition«, *GRM*, XLI (NF X, 1960), 287–304.

42   Vgl. Paul Habermann, »Antike Versmaße« in *Reallexikon der deutschen Literaturgeschichte*, 2. Aufl. hrsg. von Kohlschmidt-Mohr.

43   Hbg. Ausg. V, 357 f.

44   Vgl. Friedrich Wilhelm Wodtke, »Die Antike im Werk Gottfried Benns«, *Orbis Litterarum*, XVI (1962), 129–238; auch als Einzeldruck, Wiesbaden, 1963; Helene Homeyer, »Gottfried Benn und die Antike«, *Zeitschrift für deutsche Philologie*, LXXIX (1960), 113–124.

45   Text nach Matthias Claudius, *Werke*, hrsg. von Urban Roedl, Stuttgart, 1954, S. 264 f.

46   Vgl. z. B. Urban Roedl, *Matthias Claudius*, Berlin, 1934, S. 229 f., der die erste Strophe mit vier Zeilen kommentiert, danach vier Zeilen benutzt, um auf die vierte Strophe hinzuweisen, die »die Welt der Menschen« betrachte, und dann in wenigen Worten auf die »Nächstenliebe« der letzten

Strophe überspringt. Sehr typisch ist die Charakterisierung durch August Closs, *The Genius of the German Lyric*, London, 1938, S. 249: »In spite of its disturbing didactic element, it belongs to the golden treasury of German eventide poems…« Die Interpretationen von Johannes Pfeiffer, obwohl differenzierter, spiegeln dennoch die Auffassung des Gedichtes als Natur- und Stimmungslyrik, siehe unten Anm. 47.

47 Dies ist der Eindruck, den man aus den Interpretationen von Johannes Pfeiffer gewinnt: J. P. *Über das Dichterische und den Dichter*, Hamburg, 1956, S. 75–79, auch 69–70, und in Benno von Wiese (Hrsg.), *Die deutsche Lyrik*, Düsseldorf, 1957, I, 185–189.

48 Die Version »Sternlein« erscheint noch zu Lebzeiten Paul Gerhardts in der ersten Gesamtausgabe von 1667 und ist so in die Gesangbücher eingegangen. Nach dem Erstdruck von 1647 zu urteilen, hat Gerhardt »Sternen« geschrieben. Albert Fischer und W. Tümpel, *Das deutsche evangelische Kirchenlied des 17. Jahrhunderts*, Gütersloh 1906 (Neudruck 1964), III, 298 (Nr. 381).

49 Kurt Berger, *Barock und Aufklärung im geistlichen Lied*, Marburg, 1951, S. 220–223, und Johannes Pfeiffer, *Dichtkunst und Kirchenlied*, Hamburg, 1961, S. 52–56, haben auf den Zusammenhang Gerhardt-Claudius hingewiesen. — Obwohl Pfeiffer in diesem Zusammenhang natürlich auf die Gebetsstrophen kommen muß, betont er dennoch die »eindringlichen Seelenton« und den »wundersam stimmungshaltigen Vers ›Kalt ist der Abendhauch‹« (S. 56). So stark ist die Bereitschaft, den Charakter des Gedichtes von der ersten Strophe bestimmen zu lassen. — Zu der sentimentalen Auffassung des Gedichtes (die freilich nicht ganz und gar unberechtigt ist) hat auch seine Aufnahme in Ernst Wiecherts populärer Schrift über die »treuen Begleiter« beigetragen.

50 Übrigens erschien das Gedicht 1779 in Voß' Musenalmanach zusammen mit dem *Kriegslied*, aus dem das bekannte Wort stammt: »und ich begehre/ Nicht schuld daran zu sein!« *Abendlied* ist also wahrscheinlich später geschrieben als *Auf dem See*.

51 Vgl. auch Leo Spitzer, »Matthias Claudius' ›Abendlied‹«, *Euphorion*, LIV (1960), 70–82. Spitzer bringt das Ganze des Gedichtes zur Geltung, anknüpfend an Hermann Brochs Bemerkungen über Claudius' *Abendlied* (*Gesammelte Werke*, Essays I, Zürich, 1955, 287–294), der die erste Strophe als eigenes Gedicht behandelt und dies als »eines der einfachsten der Weltliteratur« bezeichnet (S. 287), obwohl es dann so einfach auch wieder nicht erscheint.

52 Text nach Georg Heym, *Dichtungen und Schriften*, hrsg. von K. L. Schneider, I, Hamburg, 1964, S. 434.

53 Vgl. Kurt Mautz, *Mythologie und Gesellschaft im Expressionismus: Die Dichtung Georg Heyms*, Bonn, 1961, S. 261–269. Mautz' Interpretation scheint mir das Gedicht etwas zu ernst zu nehmen.

54 Einmal in Heyms Gedicht *Luna II* ist der Mond ausdrücklich ein Henker, den nach Blut hungert. *Dichtungen und Schriften* I (1964), 241 bis 243. — Vgl. Werner Kohlschmidt, »Der deutsche Frühexpressionismus im

Werke Heyms und Trakls«, *Orbis Litterarum*, IX (1954), wiederabgedruckt in W. K. *Dichter, Tradition und Zeitgeist*, Bern, 1965, S. 128—141, bes. S. 135 f. — Unabhängig von Kohlschmidt auch Karl Ludwig Schneider, *Der bildhafte Ausdruck in den Dichtungen Georg Heyms, Georg Trakls und Ernst Stadlers*, Heidelberg, 1954, Probleme der Dichtung 2, Neudruck 1961, S. 50—54. — Mautz, *Mythologie*, s. Anm. 53, S. 248—269.

55 Text nach *Lyrik des expressionistischen Jahrzehnts*, hrsg. von Max Niedermayer, Wiesbaden, 1955, S. 126.

56 Text nach: *Modern German Poetry 1910—1960*, ed. by Michael Hamburger and Christopher Middleton, London, 1962, S. 166.

57 Text nach: Paul Celan, *Mohn und Gedächtnis*, 4. Aufl., Stuttgart, 1960, S. 37—39.

58 Enzensberger kommentierte seinen Text: »Die Entstehung eines Gedichts«, *Jahresring 60/61*, Stuttgart, 1960, S. 158—177, etwas verändert auch in H. M. Enzensberger *Gedichte*, 1965, Sammlung Suhrkamp Nr. 20, S. 55—79. Hier S. 78. Dort auch der Text S. 77 f.

59 *Gedichte*, 1965 (siehe die vorige Anm.), S. 73.

60 *Gedichte*, 1965, S. 73 f.

61 *Gedichte*, 1965, S. 75.

62 *Gedichte*, 1965, S. 64.

63 *Gedichte*, 1965, S. 68.

64 Ingeborg Bachmann, *Gedichte, Erzählungen, Hörspiele, Essays*, München, 1964, S. 43.

65 Text aus R. M. Rilke, *Sämtliche Werke*, I, Wiesbaden, 1955, S. 629 f.

66 Clemens Heselhaus, *Deutsche Lyrik der Moderne*, Düsseldorf, 1961, S. 124, weist auf ein Phryne-Bild von Ingres hin. Man könnte auch daran denken, daß Phryne Modell für Aphrodite-Statuen des Praxiteles gewesen sein soll. Der lebendige Reiz der berühmten Hetäre ist schon in der Überlieferung mit Kunstwerken verbunden, in denen der Reiz verwandelt wird.

67 116. Athenäumsfragment.

68 Hierzu: Werner Vordtriede, *Novalis und die französischen Symbolisten*, Stuttgart, 1963, = Sprache und Literatur 8.

69 Das Gedicht erscheint zweimal in *Aus dem Leben eines Taugenichts* und in den Gedichtausgaben unter dem Titel *Der Abend*. Im *Taugenichts* wird es von dem Fräulein Flora, verkleidet als Guido gesungen und der Kontext macht beide Male deutlich, daß dem naiven Taugenichts mit diesem Lied zuviel zugemutet wird. Die Verwendung im *Taugenichts* widerspricht also nicht dem Verständnis des Gedichts als Eichendorffs Version des romantischen Programms: die Dichtung von den Orientierungen der alltäglichen Welt (der »Wirklichkeit«) freizuhalten.

70 Text nach Novalis, *Schriften*, hrsg. von Paul Kluckhohn und Richard Samuel, 2. Aufl. I, (Stuttgart 1960), 130; Fassung der Handschrift. Ich ziehe die Fassung der Handschrift vor, weil sie in Zeilen abgesetzt, den Dichtungs-

charakter besser vor Augen führt. Auch sind der Umarbeitung einige Kühnheiten zum Opfer gefallen, wenn die Prosafassung auch dafür einige andere aufzuweisen hat.

71 Novalis, *Schriften*, I, 245. — Das etwas verwirrende Miteinander des negativen Gruft-Grube-Zeichens für die Beschränktheit der Tageswelt und das des Unterreichs für den positiv bewerteten Bezirk des Imaginären ist auch hier vorhanden. Eine Seite zuvor hatte dieselbe Bergmannsfigur von dem Tode seines Schwiegervaters, auch eines Bergmanns, gesagt: »Er konnte mit Freudigkeit seine Schicht beschließen, und aus der dunklen Grube dieser Welt fahren, um in Frieden auszuruhn, und den großen Lohntag zu erwarten.« Offenbar sind hier pietistische Traditionen einschlägig, was bei Hardenberg besonders naheliegt.

72 Novalis, *Schriften*, I, 247 f.

73 An dieser Stelle kann man sich klarmachen, wie belastet der Symbolbegriff schon ist. Würde er hier angewendet, stiftete er Verwirrung.

74 Novalis, *Schriften*, I, 132. — Die stark veränderte Prosafassung hat den Doppelcharakter verwischt. Die Geliebte ist darin eindeutiger bezeichnet als Phantasiegestalt, die von der Nacht gesandt wurde. Freilich flüchtete sich der Doppelcharakter in das Oxymoron »liebliche Sonne der Nacht«.

75 Heinz Ritter. »Die Datierungen der ›Hymnen an die Nacht‹«, *Euphorion* LII (1958), 114—141. — Richard Samuel in Novalis, *Schriften*, I, 115 bis 120, faßt die Literatur zu diesem Problem kurz und klar zusammen.

76 Die zweite Hymne spielt mit dem Alltagscharakter der Nacht: »Muß immer der Morgen wiederkommen«; ihm wird die mythische Nacht gegenübergestellt: »Aber zeitlos ist der Nacht Herrschaft«, nämlich der mythischen Nacht, die dann gleich wieder mit Zügen assoziiert wird, die auch in der Alltagswelt vorkommen: Tod, Rausch, Liebe, Narkotika und alte Dichtungen.

77 Siehe Lawrence J. Ryan, *Hölderlins Lehre vom Wechsel der Töne*, Stuttgart, 1960; Friedrich Beißner »Einführung in Hölderlins Lyrik« in: Hölderlin, *Sämtliche Werke*, Kleine Stuttgarter Ausgabe, Stuttgart, 1953, II, 499—511.

78 Auf ein besonders einleuchtendes Beispiel der gegenseitigen Bedingung der Motive sei hingewiesen, es ist *Der Rhein,* wo in dem Strommotiv der geniale Mensch als Heros gemeint ist, dieser aber aus dem Strommotiv die Notwendigkeit seines Schicksals bezieht. — Komplizierend wirkt bei der Betrachtung Hölderlins die Lage der Forschung, die sich von religiöser Verehrung erst zum Teil freigemacht hat, und der Verdacht, ob Hölderlins triadisches Aufbauprinzip motiviert sein könnte von dem Versuch, gewaltsam ein Zerfließen des strukturellen Ansatzes zu vermeiden, und ob nicht diese Neigung zum Zerfließen mit der Krankheit zu tun hat, die jedenfalls schon seit 1795 spürbar ist.

79 Heym, *Dichtungen und Schriften*, III (1960), 63.

80 Es gehört zu den eigentümlichen Paradoxien in der methodischen Erfassung moderner Dichtung, daß sich zu ihrer Beschreibung konventionelle

Figuren anbieten, die für viele Gedichte Goethes unzureichend erscheinen. Die »langen Wimpern« lassen sich als Synekdoche klassifizieren. In dem Begriff Metapher kommt das Flüchtige des einzelnen Bildes zum Ausdruck. Freilich handelt es sich kaum um »uneigentliches Sprechen«, weil die Bilder die Fähigkeit haben, sich zu verselbständigen, ihren Metapher-Charakter also abwerfen können.

81   Vgl. K. Mautz, *Mythologie* (s. Anm. 53), S. 354—357.

82   Vgl. Goethe, *Faust,* Vers 1074—1099. Auch das *Falkenlied* des Kürenbergers wäre zu nennen.

83   Vgl. Mautz, *Mythologie,* S. 352 f. Unser Gedicht gehört in die Sammlung *Umbra Vitae,* in der nach Mautz »golden« kaum noch positiv bewertet ist. Ich würde diesen Fall für eine Ausnahme halten, zumal das ganze Gedicht ja keine Schock-Absicht verrät.

84   Über Gelb als Ausdruck des »Unheilvollen, Verderbenbringenden oder Angsterregenden« siehe Mautz, *Mythologie,* S. 347 f.

85   Text nach Rilke, *Sämtliche Werke* II (1956), 94 f.

86   Ernst Zinn in Rilke, *Sämtliche Werke* II, 766.

87   Eudo C. Mason, *Rainer Maria Rilke: Sein Leben und sein Werk,* Göttingen, 1964, S. 80 f.

88   *Requiem* (für eine Freundin), *Sämtliche Werke* I, 655 f. Vgl. auch unten Anm. 104.

89   Rilke, *Sämtliche Werke* II, 84.

90   Siehe: Friedrich Wilhelm Wodtke, *Rilke und Klopstock,* Kiel, 1948 (Dissertation, als Manuskript vervielfältigt 1951), S. 162 f.

91   Das Gedicht (und Teile der späteren Umarbeitungen) ist enthalten im IV. Band von Hellinraths Hölderlin-Ausgabe. Rilke hatte den Text des IV. Bandes als Sonderdruck im Juli 1914 von Hellingrath erhalten. Hierzu siehe Herbert Singer, *Rilke und Hölderlin,* Köln, 1957, S. 33.

92   *Euphrosyne* war eines der Gedichte, die Rilke seit 1911 einen Zugang zu Goethe eröffneten und das er sehr schätzte, siehe Eudo C. Mason, *Rilke und Goethe,* Köln, 1958, S. 25 f., und Katharina Kippenberg, *Rainer Maria Rilke: Ein Beitrag,* Leipzig, 1938, S. 188. Das Datum 1913 muß nach Mason zu 1911 geändert werden. — Ich vermute, daß Rilke neben der Seelenlandschaft des nächtlichen Gebirges auch von den Versen 121—122 und 138—140 angesprochen wurde: »Laß nicht ungerühmt mich zu den Schatten hinabgehn! / Nur die Muse gewährt einiges Leben dem Tod.« Und: »Bildete doch ein Dichter auch mich! Und seine Gesänge, / Ja, sie vollenden an mir, was mir das Leben versagt.« Christiane Becker geborene Neumann, deren Tod die Elegie *Euphrosyne* beklagt, war eine »junge Tote«, und der Vers aus Rilkes erster Elegie »Es rauscht jetzt von jenen jungen Toten zu dir« könnte sehr wohl von dem Sprechen der nächtlichen Erscheinung der jungverstorbenen Christiane-Euphrosyne mit angeregt sein. — Das Bild der einsamen Gebirgslandschaft findet sich besonders am Anfang und am Schluß von Goethes *Euphrosyne.*

93 Zu dem Zusammenhang der Hölderlin-Rezeption mit der Biographie siehe Singer (s. Anm. 90) S. 34—38. Ob Hölderlin allerdings wirklich »Vorbild« für Rilke wurde, im existenziellen Sinn, scheint mir fraglich. — Singer will übrigens Goethe als Form-Vorbild für Rilkes Dichtung zwischen 1912 und 1922 ausschließen, weil Goethes *Römische Elegien* und auch *Euphrosyne* von einem Formwillen getragen seien, »der dem der *Duineser Elegien* geradezu entgegengesetzt ist« (S. 84 f.). Für unseren Zusammenhang ist gerade dieser Unterschied des Formwillens wesentlich.

94 Hbg. Ausg. I, 195.

95 Rilke, *Sämtliche Werke* II (1956), 424.

96 Rilke, *Sämtliche Werke* II, 220.

97 Die eigentümlich schwebende Vieldeutigkeit Rilkescher Genitive durchzieht das ganze Werk. Ulrich Fülleborn schlägt vor, von einem Genetivus relativus zu sprechen. U. F., *Das Strukturproblem der späten Lyrik Rilkes*, Heidelberg, 1960 = Probleme der Dichtung 4, S. 57, Anm. 35.

98 Otto Friedrich Bollnow, *Rilke*, 2. Aufl., Stuttgart, 1956, S. 67—73, stellt in seiner Deutung zunächst »den anschaulichen Kern« heraus, deutet ihn aber dann allegorisch, indem er das Pflanzenbild als unbewußte seelische Vorgänge, das Bergtier und den Vogel als menschliche Gedanken auffaßt mit Unterstützung einer Stelle aus der *Ersten Elegie*, wo von den Gedanken die Rede ist, die »bei dir aus und ein gehn« *(Sämtliche Werke* I, 686). Das Umkreisen der Gipfel wäre dann das Umkreisen des Absoluten wie im *Stundenbuch*, wo »Gott, der uralte Turm« umkreist wird. — Bollnows Deutung versteht also das Gedicht aus zwei Schichten bestehend.

99 *Sämtliche Werke*, I, 715.

100 Vgl. die *Zehnte Elegie, Sämtliche Werke I, 721:* »daß das unscheinbare Weinen / blühe.« Blühen ist hier sicher als Verwandlung in das Gedicht zu verstehen.

101 *Sämtliche Werke*, I, 697.

102 Nietzsche braucht das Bergbild häufig, auch in dem Sinne des Ausgesetztseins, zum Beispiel in den Gedichten *Zwischen Raubvögeln (Werke,* hrsg. von Schlechta, II (1955), 1249—1252), *Aus hohen Bergen,* (ebenda 757—759). Eine Nietzsche-Reminiszenz ist bei Rilke nicht ausgeschlossen.

103 Vgl. die Interpretation von Hans Schwerte in *Wege zum Gedicht,* hrsg. von Hirschenauer und Weber, München, 1956, S. 297—307. Schwerte macht auch auf die Beziehung zur Grabschrift aufmerksam, deutet die Beziehung aber anders (S. 304, Anm. 8).

104 Auf die Klassiker neben Hölderlin beziehen sich vielleicht die Zeilen in Rilkes Gedicht *An Hölderlin,* das ebenfalls im September 1914 geschrieben wurde: »... Wie sie doch alle / wohnen im warmen Gedicht, häuslich, und lang / bleiben im schmalen Vergleich. Teilnehmende...« *Sämtliche Werke* II, 93. »Lang bleiben im schmalen Vergleich« ist möglicherweise auf Schiller gemünzt. Humor dieser etwas billigen Art ist bei Rilke möglich. Vgl. den »Sohn eines Nackens und einer Nonne« in der *Fünften Elegie, Sämtliche Werke* I, 702.

105 *Erste Elegie, Sämtliche Werke* I, 685.

106 *Briefe aus den Jahren 1914—1926*, Wiesbaden, 1950, S. 11; an Thankmar Freiherrn von Münchhausen, 17. 9. 1914.

107 Das Gedicht ist von Ernst Zinn datiert: München oder Irschenhausen, August / September 1914. Es ist also möglicherweise früher entstanden, näher an der Stimmung der *Fünf Gesänge*. Vgl. aber das erste der an Lulu Albert-Lasard gerichteten Gedichte, das drei Tage vor unserem entstand und melancholischer ist als *Es winkt zu Fühlung* . . ., aber dennoch das Prinzip der dichterischen Identifizierung mit den Dingen ganz ähnlich ausspricht wie dieses: ». . . Was bleibt / Nichts, als zu *sein*. Zum nächsten Stein zu sagen: / Du bist jetzt ich, ich aber bin der Stein . . .«, *Sämtliche Werke* II, 217.

108 *Sämtliche Werke* II, 92 f.

109 Man darf nicht vergessen, daß Rilke das Gedicht nicht selbst veröffentlichte, allerdings für einen »Anhang« zu den Elegien vorsah, den er aber 1922 von der Veröffentlichung zurückstellte. In *Gedichte 1906—1926*, Wiesbaden 1953, S. 97—120, ist dieser »Anhang« (»Fragmentarisches«) zusammengestellt, während er im zweiten Band der *Sämtlichen Werke* unkenntlich bleibt.

110 Vgl. Hans Schwerte, siehe oben Anm. 103, auch Else Buddeberg in Benno von Wiese (Hrsg.) *Die deutsche Lyrik*, Düsseldorf, 1957, II, 351 bis 358, besonders 353 f.

111 Die Sprachskepsis Hofmannsthals steht im Mittelpunkt einer lebhaften Diskussion: Paul Requadt, »Sprachverleugnung und Mantelsymbolik im Werke Hofmannsthals« *DVLG*, XXIX (1955), 255—283. — Karl Pestalozzi, *Sprachskepsis und Sprachmagie im Werk des jungen Hofmannsthal*, Zürich, 1958 = Zürcher Beiträge zur Sprach- und Stilgeschichte Nr. 6. — Richard Brinkmann, »Hofmannsthal und die Sprache«, *DVLG* XXXV (1961), 69—95, Theodore Ziolkowski, siehe unten Anm. 117. — Wolfram Mauser, *Bild und Gebärde in der Sprache Hofmannsthals*, Österreichische Akademie der Wissenschaften, Philosophisch-historische Klasse, Sitzungsberichte, CCXXXVIII, 1. Abh., Wien, 1961. — Gotthart Wunberg, *Der frühe Hofmannsthal: Schizophrenie als dichterische Struktur*, Stuttgart, 1965 = Sprache und Literatur 25, vor allem Exkurs 1, »Das Sprachproblem in den frühen Gedichten«, S. 118—124. Zu Wunberg vgl. auch Anm. 118.

112 Vgl. Martin Stern, »Hofmannsthals verbergendes Enthüllen: Seine Schaffensweise in den vier Fassungen der Florindo/Christina Komödie« *DVLG*, XXXIII (1959), 38—62, vgl. bes. S. 50, Anm. 40. — Zum Thema des Abenteurers: Richard Alewyn, »Hofmannsthals erste Komödie« (1936) jetzt in R. A., *Über Hugo von Hofmannsthal*, 3. Aufl. Göttingen, 1963, S. 96—119. — Ewald Grether, »Die Abenteurergestalt bei Hugo von Hofmannsthal«, *Euphorion*, XLVIII (1954), 171—209. — William H. Rey, »Dichter und Abenteurer bei Hugo von Hofmannsthal«, *Euphorion*, XLIX (1955), 56—69; derselbe, »Eros und Ethos in Hofmannsthals Lustspielen, *DLVG*, XXX (1956), 449—473.

113 Katharina Mommsen, »Treue und Untreue in Hofmannsthals Frühwerk« *GRM* XLIV = NF XIII (1963), 306—334.

114 Hugo von Hofmannsthal, *Gesammelte Werke in Einzelausgaben,* hrsg.
von Herbert Steiner, *Prosa* II, Frankfurt a. M., 1951, S. 102.

115 *Prosa* II, S. 104.

116 *Prosa* II, 96 f. Anschließend wird der Zweifel an dem Individualitäts-
begriff ausgedrückt, den man mit Recht mit der Philosophie Ernst Machs in
Verbindung bringt. Vgl. Wunberg (siehe Anm. 111), S. 23—40. Man kann
aber diese Seite in Hofmannsthals Metaphysik nicht verabsolutieren. Sie ist
nur als Gegengewicht verstehbar gegen die allzu starke Betonung der Indi-
vidualität seit der Renaissance. Vgl. das Wort des fiktiven Balzacs in *Über
Charaktere im Roman und im Drama:* »Es gibt keine Erlebnisse als das
Erlebnis des eigenen Wesens« (*Prosa* II, 45). Auch dies ist im Hinblick auf
den (besessenen) Künstler gesagt.

117 *Prosa* II, 15—19. — Theodore Ziolkowski, »James Joyces Epiphanie
und die Überwindung der empirischen Welt in der modernen deutschen
Prosa«, *DVLG,* XXXV (1961), 594—616, behandelt das Phänomen der
Epiphanien als eines, das sich auch bei Joyce, Musil, Rilke und anderen
findet. Er sieht es verbunden mit der Wortnot der Sprachkrise, die er philo-
sophisch versteht, aber meines Erachtens zu schwer nimmt. Das Phänomen
ist wohl von vornherein zweideutiger. An dem dichterischen Augenblick der
Epiphanie wird das Materialhafte der Sprache, das oft, aber nicht immer,
Unzureichende bewußt.

118 Vgl. Wolfram Mauser (siehe Anm. 111), S. 47—64. — Stefan H.
Schultz hat auf die Zusammenhänge des Chandos-Briefes mit der Philosophie Bacons aufmerksam gemacht: »The Sources of the Chandos Letter«,
Comparative Literature, XIII (1961) 1—15. — Gotthart Wunberg benutzt
diesen Ansatz in einem Kapitel seines Buches (siehe oben Anm. 111), S. 106
bis 117. Er zieht Bacons Lehre von den falschen Vorurteilen (idola) heran,
um das philosophische Motiv des Chandos-Briefes herauszustellen. Dann aber
wendet er das Ergebnis auf seine Theorie der »Bewußtseinskrise« an
(S. 111), dem er die sogenannte »Sprachkrise« als sekundär unterordnet.
Nun ist die Intensität, mit der Chandos die metaphysische Leere erlebt,
eine Sache der fiktiven Vergegenwärtigung, mit der Hofmannsthal sein
sprachliches Kunstwerk eindringlich macht, aber damit aus dem autobiographischen Zusammenhang löst. — Vgl. auch unten Anm. 128.

119 *Prosa* II, 10 f. Man kann diese jugendliche Trunkenheit mit dem
Begriff »Präexistenz« aus Hofmannsthals Selbstinterpretation *Ad me ipsum*
verbinden, darf aber beides nicht einfach mit Hofmannsthals Jugend gleich-
setzen. Die Selbsttäuschung einer Beziehung von allem mit allem durch das
Medium des Ästhetischen wird schon im *Märchen der 672. Nacht,* ansatz-
weise auch in *Der Tor und der Tod* distanziert als Thema behandelt.

120 *Prosa* II, 12. — Das Bild des leuchtenden, aber ungreifbaren Regen-
bogens wird hier für die Religion gebraucht wie im *Gespräch über Gedichte*
für den Begriff des »Selbst«. *Prosa* II, 97. Vermutlich liegt Goethes Bild
vom farbigen Abglanz zugrunde. (*Faust,* Verse 4715—4727). Das Bild wird

nur gegen die Greifbarkeit gewendet, nicht gegen das Phänomen an sich. So vermittelt auch das sprachliche Kunstwerk keine metaphysisch greifbare Wahrheit, sein Glanz ist dennoch der des »Lebens« im Sinne Hofmannsthals.

121 *Prosa* II, 22.

122 *Prosa* II, 104.

123 *Prosa* II, 110.

124 *Prosa* II, 112.

125 *Prosa* II, 102.

126 *Gesammelte Werke, Gedichte und lyrische Dramen*, 1952, S. 16.

127 *Gedichte und lyrische Dramen*, S. 19. — Vgl. die Stilinterpretation von Wolfgang Kayser in: W. K., *Das sprachliche Kunstwerk*, Bern, 1951, S. 312—319 und 349. — Ferner: Walter Naumann, »Hofmannsthals Lyrik und das moderne Gedicht«, *Wirkendes Wort*, IX (1959), 155—160.

128 Vgl. auch das Briefgedicht an Richard Dehmel aus dem gleichen Jahr. Dieser Text enthält übrigens deutliche Anklänge an den Chandos-Brief. Während des Dienstes, aber auch, wenn er allein ausreitet, ist ihm das Leben »als ob sie nicht wirklich wäre«, kein Erlebnis ist ihm etwas, »die Worte nichts, das Denken nichts«. *Gedichte und lyrische Dramen*, S. 522—524. Während der Militärdienstzeit (Göding 14. VI. [1895]) entsteht eine Tagebuchaufzeichnung über die »Epiphanie« einer Pappel (das Wort selbst kommt nicht vor). *Aufzeichnungen*, S. 121. Der Brief an Stefan George vom 13. Oktober 1896, der von einer tiefen Verstimmung und Produktionshemmung berichtet und nach allgemeiner Auffassung mit dem Chandos-Brief zusammenhängt, wurde nach einer Waffenübung im Sommer 1896 geschrieben. — Man muß sich vergegenwärtigen, daß zwischen diesen Anlässen des Chandos-Briefes 1895/96 und seiner Niederschrift die Werke der Jahre 1897—1900 liegen, darunter auch *Der Abenteurer und die Sängerin*. — In den Briefen an Edgar Karg von Bebenburg aus dem Jahre 1895 findet man sowohl »die große Einheit aller seienden Dinge, und auch der Vergangenheit mit der Gegenwart« (3. Mai 1895, *Die Neue Rundschau*, LXXIII [1962], 597), und im Brief vom 18. Juni 1896, ebenda S. 597 bis 600, die Ablehnung, in nur abstrakten Begriffen zu denken, die auf Formulierungen hinausläuft, in denen sowohl Teile des *Gesprächs über Gedichte* anklingen (»... wenn man unter eine kühle Hausflur mit nassen Steinfliesen tritt«, *NR*. S. 599; »der Geruch feuchter Steine in einer Hausflur«, *Prosa* II, 96) wie der Chandos-Brief: »... man kann nie etwas ganz so sagen wie es ist. Darum erregen Gedichte eine eben solche unfruchtbare Sehnsucht wie Töne. Das wissen sehr viele Menschen nicht und gehen fast darüber zugrunde, daß sie das Leben reden wollen. Das Leben redet aber sich selbst. Es redet in Erscheinungen«. Dann fährt der Text wieder im Sinne des *Gesprächs* fort: »Aber es gibt immer eine Erscheinung, eine Verbindung von Worten, eine Verschlingung von Tönen, die unsere Seele als ein Gleiches berühren« *(NR,* S. 599). — Vgl. auch Wolfram Mauser (siehe Anm. 111), S. 5, mit Belegen aus diesen Jahren.

129 *Gesammelte Werke, Aufzeichnungen*, 1959, S. 120.

154

130 *Gedichte und lyrische Dramen*, S. 21.

131 Dafür gibt es viele Belege aus Aufsätzen. Schon sehr früh, 1891: »Uns pflegt Glaube und Bildung, die den Glauben ersetzt, gleichmäßig zu fehlen. Ein Mittelpunkt fehlt, es fehlt die Form, der Stil. Das Leben ist uns ein Gewirre zusammenhangloser Erscheinungen; froh, eine tote Berufspflicht zu erfüllen, fragt keiner weiter.« (*Prosa I*, S. 48). Es gibt natürlich auch andersklingende Äußerungen, vor allem das Zitat aus Gregor von Nyssa, das Hofmannsthal dem *Ad me ipsum* vorangestellt hat. Zum Perspektivismus gehört die Zulassung vieler Wahrheiten, um mehr dürfte es sich bei solchen Beispielen kaum handeln. In einer Einzelaufzeichnung zum *Ad me ipsum* heißt es im Zusammenhang mit dem *Lebenslied:* »Der Sinn der Welt ist Lösung. Nichts läßt sich im Weltlichen befestigen. Welt ist Werkstätte, ist Ort der Gestaltung, Erinnerung, Wechsel, ist um der Fülle der Schönheit, der Liebe willen usf.«, *Aufzeichnungen*, S. 230.

132 Siehe Richard Exner, *Hugo von Hofmannsthals ›Lebenslied‹*, Heidelberg, 1964.

133 *Gedichte und lyrische Dramen*, S. 23 f. – Hanna Ballin Lewis, *English and American Influences on Hugo von Hofmannsthal*, ungedruckte Dissertation, Rice University, Houston, Texas 1964, S. 100–102, weist nach, daß Metrum, Rhythmus und – ins Deutsche übertragen – einige Verse des ersten der Lieder sich eng berühren mit Brownings *A Serenade at the Villa*. Ein Artikel »Hofmannsthal und Browning« der gleichen Verfasserin wird in Kürze in *Comparative Literature* erscheinen.

134 Eines der spätesten bekannten Gedichte Hofmannsthals, der Sonettenwechsel *Die Geständnisse* von 1919, in H. v. H. *Ausgewählte Werke in zwei Bänden,* hrsg. von Rudolf Hirsch, Frankfurt, 1961, S. 52 (nicht in *Gedichte und lyrische Dramen),* unterhält ähnliche Beziehungen zu *Der Schwierige,* einem Lustspiel, in dem nicht nur Sprachskepsis herrscht, sondern auch eine Verwandlung stattfindet. – Zum Thema schwer – leicht siehe W. Mauser (s. Anm. 111).

135 Siehe den in Anm. 112 zitierten Aufsatz Martin Sterns.

136 Text nach *Gedichte und lyrische Dramen*, S. 11. – Vgl. die Interpretation in Paul Requadt, *Die Bildersprache der deutschen Italiendichtung,* Bern, 1962, S. 22 f.

137 *Prosa II*, S. 64–74. Zu diesem Aufsatz: Werner Vordtriede, »Das schöpferische Auge: Zu Hofmannsthals Beschreibung eines Bildes von Giorgione«, *Monatshefte* XLVIII (1956), 161–168. Bemerkenswert ist, wie die Landschaftsbeschreibung in ein imaginäres Bild von Giorgione übergeht, das sich an das Concerto campreste nur anlehnt und wiederum den Erzähler selbst als zusätzliche Figur einfügt. Ferner das Motiv des Adlers, das in das Bild hineinkomponiert wird und auf einen in der Phantasie vollzogenen Personentausch hinausläuft.

138 Alfredo Dornheim, »Das ›Reiselied‹ Hugo von Hofmannsthals: eine hyperboreische ›Mignon-Landschaft‹«, *Euphorion*, XLIX (1955), 50–55, führt das Gedicht auf ein Mythologem zurück, die »hyperboreische Landschaft«, die der Nordländer in den Süden verlegt. In diesen Zusammenhang

paßt der Vogel Greif. Daß der deutschen Italiensehnsucht auch alte Mythen zugrunde liegen, soll nicht bestritten werden. In Hofmannsthals Werk ist der große Vogel als Zeichen von Entgrenzung, Verwandlung, freischwebenden Gedanken so häufig, daß ich nicht an den Vogel Greif denken würde.

139 *Gedichte und lyrische Dramen*, S. 193 f.

140 *Ausgewählte Werke in zwei Bänden* (siehe Anm. 134), II, 107. — Diese Ausgabe bietet zur Zeit den besten Text in den Notizen auf Grund der Forschungen von Richard Alewyn, dessen Aufsatz über *Andreas* in R. A., *Über Hugo von Hofmannsthal*, 3. Aufl. 1963, S. 124—160, für die Interpretation des *Andreas* grundlegend ist. — Zum Motiv des Vogels vgl. Mauser (siehe Anm. 111), S. 40 f.

141 *Ausgewählte Werke* II, 95, 101 f.

142 Text nach: Ingeborg Bachmann, *Gedichte, Erzählungen, Hörspiele, Essays*, München, 1964, S. 25.

143 Das Schema hat eine sehr entfernte Ähnlichkeit mit der alkäischen Odenform. Es sieht so aus:

Man könnte von Variationen zweier rhythmischer Typen sprechen. Der erste wäre im ersten Halbvers gegeben. Er beginnt mit einer oder zwei Senkungen und endet mit einer Senkung. Der andere erscheint im ersten Halbvers des zweiten Verses und endet nach der dritten Hebung. Er ist nur im Schlußvers wiederholt. In diesen beiden rhythmischen Bestandteilen kommt das Bedrohliche besonders deutlich zum Vorschein. Man kann diesen »Typ« freilich nur so nennen, weil er sich vom Haupttyp unterscheidet. Da die Versanfänge jeweils verschieden sind, ist er in sich nicht allzu deutlich.

144 Siehe die vorige Anmerkung.

145 Andreas Gryphius, *Abend,* in moderner Rechtschreibung. — Originaltext in *Gesamtausgabe der deutschsprachigen Werke*, Tübingen, 1963, I, 66. — Das Leben als Kahnfahrt, der Tod als Ankunft, ist ein Topos von der Antike (Charon) bis in die Moderne.

146 Text nach Conrad Ferdinand Meyer, *Sämtliche Werke*, historisch-kritische Ausgabe, hrsg. von H. Zeller, Bd. I, Bern, 1963, S. 164.

147 Text nach Karl Krolow, *Gesammelte Gedichte*, Frankfurt a. M., 1965, S. 242. — Das Gedicht ist dort unter dem Jahre 1961 angeordnet.

148 Text: *Sämtliche Werke* II, 266.

149 *Sämtliche Werke* I, 691 f.

150 Text nach August Stramm, *Das Werk*, hrsg. von René Radrizzani, Wiesbaden, 1963, S. 35.

151 Ebenda S. 86. — Vgl. Richard Brinkmanns Hinweis auf den Umgang mit der Grammatik in diesem Gedicht: »Das Wort soll reden, bevor es in den grammatischen Zusammenhängen Vehikel einer darin gebotenen Weltaus-

legung wird.« in: *Der deutsche Expressionismus: Formen und Gestalten,* hrsg. von Hans Steffen, Göttingen, 1965, S. 102.

152 »Berge« nehme ich trotz Brinkmanns Zweifel (siehe Anm. 151) als Substantiv. Das fehlende Komma zwischen Berge und Sträucher in Stramms Text fasse ich als Versuch auf, die Unmittelbarkeit des Erlebens zu bezeichnen. Zwar gibt es Berge, aber vor den Blick schieben sich die Sträucher, die auf ihnen wachsen und »raschlige« Blätter haben (»blättern« bedeutet wohl »Blätter haben« ähnlich wie »feinden« »feindlich aussehen«).

153 Text nach: Georg Trakl, *Die Dichtungen,* 8. Aufl., Salzburg o. J., S. 196. Der Titel »Klage« kommt übrigens in Trakls Gedichten mehrfach vor.

154 Karl Ludwig Schneider, *Der bildhafte Ausdruck* (siehe Anm. 54), S. 132 ff; Theophil Spoerri, *Georg Trakl: Strukturen in Persönlichkeit und Werk,* Bern, 1954, S. 66 f.; Kurt Mautz, *Mythologie* (siehe Anm. 53), S. 324—375.

155 Spoerri (siehe Anm. 154), S. 39—41.

156 Man darf sich allerdings fragen, ob dieselben Mittel, die für den Ausdruck einer Grenzsituation adaequat sind, nicht dort versagen, wo eine solche Grenzsituation als permanente Orientierung gesehen wird. Daß Sprache und Bilder sich entziehen, wird von einer falschen Geschichtsmetaphysik oft als für unsere Zeit typisch hingestellt. In Wahrheit ist die Verfügbarkeit großer geographischer und historischer Räume eher eine günstige Situation für den Dichter, solange er sich nicht von der Untergangs-Romantik beeinflussen läßt. Dieser widerspricht ja auch die offenbare Wiederherstellung gesicherter, manchmal allzu gesicherter Lebensformen nach ungeheuren kriegerischen Katastrophen. — Daß Trakls Lyrik sehr einseitig auf Todeserwartung und Untergangsstimmung gerichtet ist, dürfte von Trakls Psychologie oder seiner Krankheit herrühren.

157 Wenn ich auch im folgenden vielfach meine eigenen Wege gehe, möchte ich mich doch dazu bekennen, durch Zustimmung und Widerspruch viel von Emil Staiger, *Grundbegriffe der Poetik,* Zürich, 1946, und Käte Hamburger, *Die Logik der Dichtung,* Stuttgart, 1957, gelernt zu haben.

158 Zum Beispiel Dürrenmatt in *Das Versprechen,* Zürich, 1958, S. 204: »Bei solchen Stellen [die der Binnenerzähler nicht kennen konnte] war [vom Außenerzähler der Rahmengeschichte] einzugreifen, zu formen, neu zu formen, wenn ich mir auch die größte Mühe gab, die Vorkommnisse nicht zu verfälschen, sondern nur das Material, das mir der Alte [der Binnenerzähler] lieferte, nach bestimmten Gesetzen der Schriftstellerei zu bearbeiten, druckfertig zu machen.« — Vgl. Wolfgang Kayser, »Wer erzählt den Roman« in: W. K., *Die Vortragsreise,* Bern, 1958, S. 82—101.

159 Das Ansingen der Geliebten wie in der Barockdichtung steht hier nicht zur Diskussion, einmal weil das Spiel mit Traditionen dabei eine Rolle spielt, dann auch, weil die Geliebte meist nicht als anwesend gedacht wird. Rilkes gedichtete Porträts sind Sonderfälle des Dinggedichtes, die sich manchmal auf die Ballade zu bewegen. Reizvoll ist das Spiel an der Grenze der Ballade in *Letzter Abend* aus den *Neuen Gedichten,* ein Gedicht, in dem

fiktive Personen auftreten und eine Szene miteinander bilden, ohne daß die Figuren deutlich würden, weil die ganze Szene der Beschwörung eines lyrischen Momentes sehr nahe steht.

160 Theodor Fontane, *Sämtliche Werke*, hrsg. von Walter Keitel, Bd. IV, München, 1963, S. 291. — Vielleicht noch lyrischer und schwieriger zu deuten ist die Stelle, in der der Erzähler Effi zum letzten Male sehen läßt. Sie sitzt, schon schwerkrank, am Fenster und lauscht in den nächtlichen Park: »Die Sterne flimmerten, und im Parke regte sich kein Blatt. Aber je länger sie hinaushorchte, je deutlicher hörte sie wieder, daß es wie ein feines Rieseln auf die Platanen niederfiel. Ein Gefühl der Befreiung überkam sie. ›Ruhe, Ruhe‹« (ebenda S. 194). Es handelt sich um die zeitlose Ruhe des Todes, in der ein leises Zeichen der Bewegung, des Lebens, der Zeit, als Kontrast stehenbleibt, um eigentlich erst die Todesruhe zu konstituieren.

161 Julius Petersen, *Die Wissenschaft von der Dichtung*, Bd. I (mehr nicht erschienen), Berlin, 1939, S. 122 f., definiert die Lyrik innerhalb der anderen Gattungen als »monologische Darstellung eines Zustandes«.

162 Vgl. Emil Staiger, »Das Problem des Stilwandels«, in E. S. *Stilwandel*, Zürich, 1963, S. 7—24, bes. S. 7—14. — Hans Egon Hass, »Das Problem der literarischen Wertung«, *Studium Generale*, XII (1959), 727—756. — Friedrich Sengle, »Zur Einheit von Literaturgeschichte und Literaturkritik«, *DVLG*, XXXIV, 1960, 327—337. Sengle führt die Trennung von Literaturgeschichte und Literaturkritik auf den Georgekreis und Gundolfs »Literaturtheologie« zurück. — Die Tagung der Fédération Internationale des Langues et Littératures Modernes 1963 in New York befaßte sich mit »Literary History and Literary Criticism« (Die Akten des Kongresses sind unter diesem Titel, New York, 1963, veröffentlicht). Es herrschte Übereinstimmung, daß beides zusammengehört. — Auch wenn die Titel der Äußerungen zum Thema eine mögliche Trennung implizieren, wird für Vereinigung plädiert: Benno von Wiese, »Geistesgeschichte oder Interpretation?« in B. v. W. *Zwischen Utopie und Wirklichkeit*, Düsseldorf, 1963, S. 11—31 (zuerst in *Die Wissenschaft von deutscher Sprache und Dichtung*, Festschrift für Friedrich Maurer, Stuttgart, 1963); Horst Rüdiger, »Zwischen Interpretation und Geistesgeschichte: Zur gegenwärtigen Situation der deutschen Literaturwissenschaft«, *Euphorion*, LVIII (1963), 227—244.

163 Vgl. zum Beispiel Erich Trunz' lehrreichen Aufsatz »Literaturwissenschaft als Auslegung und als Geschichte der Dichtung«, in *Festschrift für Jost Trier*, Meisenheim a. Glan, 1954, S. 50—87. Nach einleitenden Worten zur Interpretation des *Werther*, dessen Hauptmotiv er im Motiv der Entgrenzung sieht, wendet er sich zur »Geschichte« (S. 53). Dabei geht es ihm zunächst fast ausschließlich um Werthers religiöse oder weltanschauliche, d. h. ersatzreligiöse Haltung.

164 Sehr merkwürdig sind die militärischen Vergleiche, mit denen Julius Petersen in *Die Wissenschaft von der Dichtung* (siehe Anm. 161) literarische Phänomene zu bezeichnen sucht (zum Beispiel S. 57).

165 Ich beziehe mich dabei auf einen noch ungedruckten Vortrag Hans Eichners über *Wilhelm Meisters Lehrjahre*, den er im Mai 1966 an der Rice University hielt.

166 Vgl. Walther Killys Kapitel »Mein Pferd für'n gutes Bild: Heine und Geibel« in W. K., *Wandlungen des lyrischen Bildes,* Göttingen, 1958, S. 94–115, bes. S. 96–101. — Zum Beispiel der Satz auf S. 100: »Wenn die romantische Chiffre für das Geheimnis stand und mit dem echten Rätsel spielte, so erscheint das Klischee auch als Chiffre, aber sie ist durchschaubar und steht für eine Nichtigkeit.« Hinter dieser Wertung steckt deutlich das Bedürfnis nach dem Übersteigenden. Im Anfang zitierte Killy Verse aus der griechischen Anthologie (S. 5) und kommentierte: »In diesen Zeilen ist fast von nichts die Rede.« Tatsächlich kann »eine Nichtigkeit« in hohe lyrische Sprache verwandelt werden. Wenig später (S. 100) sagt Killy: »Denn nun muß der bloße Stoff alles leisten...« Das bedeutet: die Gegenwelt ist ungenügend integriert. Aber Killy sucht den Gedanken an seine Klischeevorstellung anzupassen und fährt fort: »... der doch schon so oft abgezogen ward.«

167 Zu den Fragen der Wertung gibt es eine Fülle von Literatur. Vgl. vor allem Walter Müller Seidel, *Probleme der literarischen Wertung:* Über die Wissenschaftlichkeit eines unwissenschaftlichen Themas, Stuttgart, 1965. — Hans Egon Hass, siehe oben Anm. 162. — Wolfgang Kayser, »Literarische Wertung und Interpretation« und »Vom Werten der Dichtung«, in *Die Vortragsreise,* Bern, 1958, S. 39–70. — Wilhelm Emrich, »Das Problem der Wertung und Rangordnung literarischer Werke« und »Bewußtseins- und Daseinsstufen der Dichtung« (früherer Titel: »Zum Problem der literarischen Wertung«) in: W. E., *Geist und Widergeist,* Frankfurt, 1965. — Friedrich Sengle, Benno von Wiese, siehe oben Anm. 162.

168 Die Ansicht, daß der Interpret einen Schriftsteller besser versteht als dieser sich selbst, findet Otto Friedrich Bollnow schon bei Schleiermacher als Selbstverständlichkeit ausgesprochen. Bollnow betrachtet die Frage: »Was heißt, einen Schriftsteller besser verstehen, als er sich selbst verstanden hat?« *DVLG,* XVIII (1940), 117–138, philosophisch-psychologisch.

M/